KB023745

초등학생을 위한

표준 한국어

국립국어원 기획 | 이병규 외 집필

학습 도구

5~6학년

초등학생을 위한

표준 한국어

국립국어원 기획 | 이병규 외 집필

학습 도구

5~6학년

마리북스

발간사

다문화가정 학생 수는 매년 증가하여 2018년 12만여 명에 이릅니다. 그런데 중도입국자녀나 외국인 가정 자녀와 같은 다문화 학생들은 학령기 학생에게 기대되는 한국어 능력 수준에 이르지 못하는 경우가 많습니다. 이는 다문화 학생이 교과 학습 능력을 갖추지 못하거나 또래 집단 문화에 적응하지 못하는 결과로 이어지고, 결국 한국 사회에 안정적으로 정착하는 데 어려움을 겪는 주요한 원인이 됩니다. 따라서 다문화 학생을 위한 교육 지원은 보다 전문적이고 체계적으로 이루어져야 합니다.

학령기 한국어 학습자를 위한 정부 지원은 교육부에서 2012년에 '한국어 교육과정'을 개발하여 고시하였고, 국립국어원에서 교육과정을 반영한 학교급별 교재를 개발하면서 본격적으로 이루어 졌습니다. 그 후 '한국어 교육과정'이 개정·고시(교육부 고시 제2017-131호)되었습니다. 이에 국립국어원에서는 2017년부터 개정된 교육과정에 따라 한국어 교재를 개발하고 있으며, 그 첫 번째 결과물로 초등학교 교재 11권, 중고등학교 교재 6권을 출판하게 되었습니다. 교사용 지도서는 별도로 출판은 하지 않지만 국립국어원 한국어교수학습샘터에 게시해 현장 교사들이 무료로 이용할 수 있게 하였습니다.

이번 교재 개발에는 언어학 및 교육학 전문가가 집필자로 참여하여 한국어 교육의 전문적 내용을 쉽고 친근하게 구성하기 위해 노력하였습니다. 특히 이 교재는 언어 능력 향상뿐만 아니라 서로 다른 문화를 이해하여, 한국 사회 구성원으로서 정체성을 확립하는 데 도움이 되도록 개발하였습니다.

아무쪼록 《초등학생을 위한 표준 한국어》 교재가 다문화가정 학생들이 한국어를 쉽고 재미있게 배워서 한국 사회에서 자신의 꿈을 키워 나가는 데 도움을 줄 수 있기를 바랍니다.

끝으로 이 교재의 개발을 위해 최선의 노력을 기울여 주신 교재 개발진과 출판사에 깊은 감사의 말씀을 드립니다.

2019년 2월

국립국어원장 소강춘

머리말

2012년 '한국어(KSL) 교육과정'이 고시되면서 초등 및 중등 학습자를 위한 한국어(KSL) 교육은 공교육의 체제 속에서 전개되어 왔습니다. 모어 배경과 문화, 생활 경험과 언어적 환경 등에서 매우 다양한 한국어(KSL) 학습자들은 '한국어(KSL) 교육과정'이 적용된 《표준 한국어》 교재를 배워 왔고 일상생활과 학교생활에 필요한 한국어 능력을 길러 왔습니다. 이제 학교에서의 한국어(KSL) 교육은 새로운 도약을 목전에 두고 있다고 할 수 있습니다. 지난 2017년에 '한국어(KSL) 교육과정'이 개정되면서, 개정 교육과정이 적용된 새로운 교재 11권이 세상에 빛을 보게 되었기 때문입니다.

새로 발행되는 《초등학생을 위한 표준 한국어》 교재 편찬에서는 두 가지 원칙을 분명히 하고 있습니다. 첫째, 개정된 교육과정의 관점과 내용 체계, 교재 개발을 위한 기초 연구의 성과 등을 충실하게 반영하는 것입니다. 〈의사소통 한국어〉 교재와 〈학습 도구 한국어〉 교재를 분권하는 것이나 학령의 특수성을 고려한 저학년용, 고학년용 교재의 구분 등은 이러한 맥락에서 실행되었습니다. 또한 교육과정에서 제시한 언어 재료는 주요한 내용 설정의 준거가 되었습니다. 더불어 '내용 모듈화'의 방안을 살려 학습자의 특성과 교육 현장의 필요에 적합한 내용 선택 및 재구성이 가능하도록 하였습니다.

둘째, 초등학생 한국어(KSL) 학습자와 교육 현장을 충분히 이해하고 고려하는 것입니다. 이를 위해 연구 집필진은 초등학생 한국어(KSL) 학습자의 언어 환경, 한국어 학습의 조건과 요구 등을 파악하는 데에 많은 노력을 기울였습니다. 초등학생 학습자의 일상, 학교생활, 교과 수업의 장면을 주제화하고 이러한 주제를 중심으로 필수 어휘와 문법, 표현을 재선정하였습니다. 초등학생들에게 적합한 이미지 중심의 내용 제시, 놀이 활동의 강화, 한글 교육 내용의 특화 등도 강조하였습니다.

개정 《초등학생을 위한 표준 한국어》 교재의 편찬을 위해 많은 관심과 지원을 아끼지 않은 국립국어원 소강춘 원장님을 비롯한 관계자 여러분께 감사드립니다. 고된 작업 일정과 어려운 여건 속에서도 진심과 열정으로 임해 주셨던 연구 집필진 선생님들께, 그리고 마리북스 출판사에도 깊은 감사의 마음을 전합니다.

언어는 사람의 삶, 그 자체입니다. 초등학생 학습자들이 이 책을 가지고 한국어를 배우는 것으로 삶의 큰 기쁨과 힘을 얻기를 바랍니다. 새로운 세상을 열고 새로운 존재로서의 자신을 단단히 깨닫게 되기를 바라는 마음입니다.

2019년 2월

연구 책임자 이병규

일러두기

〈학습 도구 한국어〉 5~6학년군 교재는 초등학교 5학년이나 6학년 학생들이 교과 학습을 수행하는 데 필요한 한국어 능력을 기를 수 있도록 개발되었습니다. 수업에서 자주 쓰는 한국어 어휘와 표현을 배울 수 있도록 하였고, 읽고 쓰는 문식 활동을 충분히 경험하도록 하였습니다. 전체 16단원 중 1단원에서 8단원은 〈의사소통 한국어〉 3권을 배우는 학생들이 선택할 수 있고, 9단원에서 16단원은 〈의사소통 한국어〉 4권을 배우는 학생들이 선택할 수 있도록 연계되어 있습니다. 각 단원마다 학습 주제에 맞는 다양한 학습 도구 어휘를 배울 수 있도록 하였으며, 놀이/협동 활동과 복습 활동은 별도의 차시 내용으로 제시하였습니다.

단원 구성과 교재 활용 방법

도입

1차시

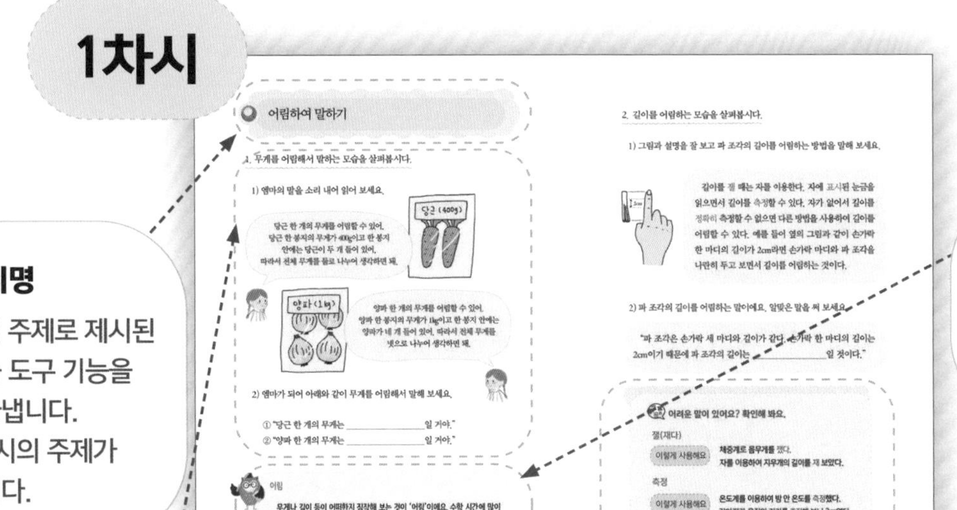

차시명
단원 주제로 제시된 학습 도구 기능을 나타냅니다. 1차시의 주제가 됩니다.

부엉이 선생님
차시 주제에 맞는 주요 학습 개념을 제시합니다.

큰 번호 활동
차시 주제로 제시된 학습 도구 기능을 수행하며 한국어 표현과 어휘를 사용할 수 있도록 합니다.

어휘 용례 확인 활동
큰 번호 활동을 수행할 때 사용하는 어휘들 중 어렵거나 자주 사용되는 어휘들의 용례를 확인합니다. '한국어 교육과정'에서 제시된 학습 도구 어휘들 중에서 주제에 맞게 선별된 어휘들을 배우도록 합니다. 익힘책이 활용됩니다.

2차시

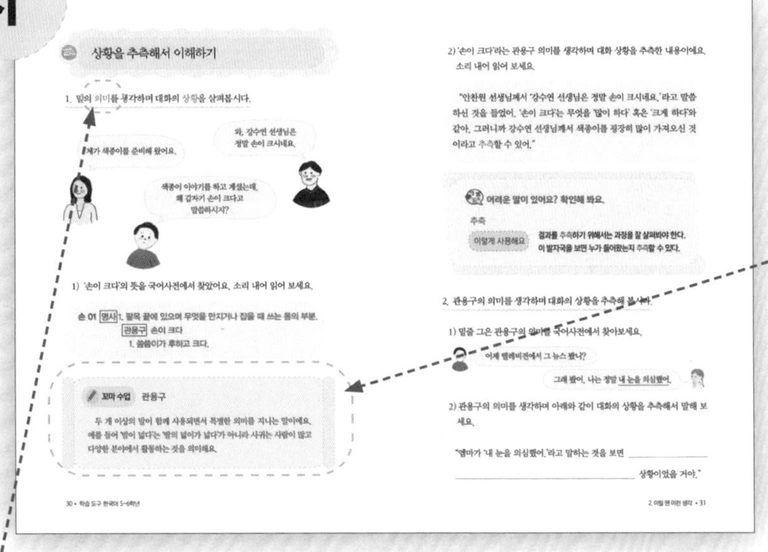

꼬마 수업
주요 교과와 연계된 학습 개념을 설명합니다.

본문의 파란색 표시 어휘
'한국어 교육과정'에서 제시된 학습 도구 어휘들 중에서 주제에 맞게 선별된 어휘들입니다. 큰 번호 활동 중에 선택적으로 어휘 학습이 이루어지도록 합니다. 익힘책이 활용됩니다.

3차시

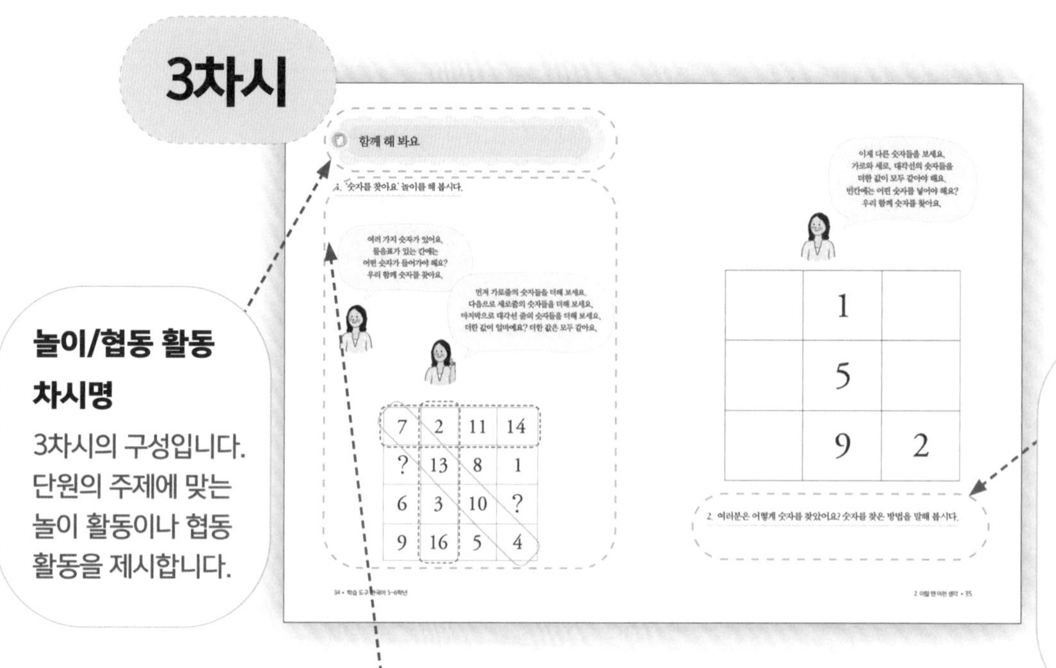

놀이/협동 활동 차시명

3차시의 구성입니다. 단원의 주제에 맞는 놀이 활동이나 협동 활동을 제시합니다.

놀이 활동이나 협동 활동을 하며 사용한 한국어를 다시 떠올려 보도록 합니다. 연습 활동을 제시합니다. 필요에 따라 익힘책을 활용합니다.

놀이 활동이나 협동 활동을 안내합니다. 놀이나 협동을 할 때 사용하는 한국어를 제시합니다.

4차시

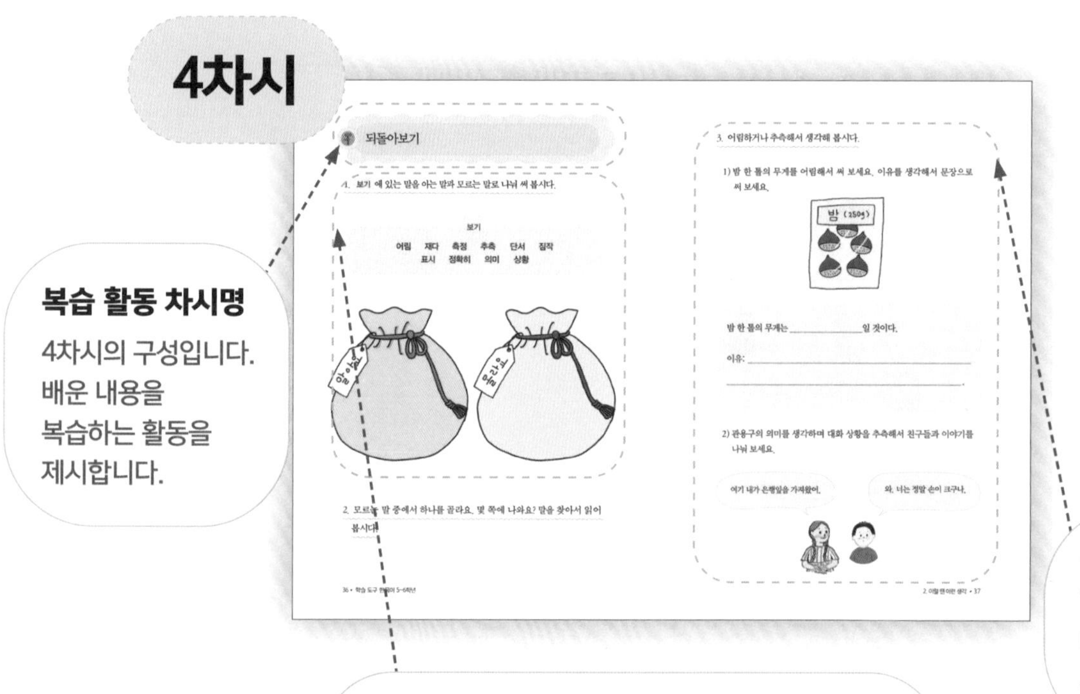

복습 활동 차시명

4차시의 구성입니다. 배운 내용을 복습하는 활동을 제시합니다.

단원에서 배운 학습 도구적 기능을 다시 떠올리고 수행해 보도록 합니다.

단원에서 배운 어휘와 표현을 다시 떠올리고 사용해 보도록 합니다. 어휘나 표현 학습 활동을 제시합니다.

이 책의 특징

◈ 필수 내용과 선택 내용의 구성

《초등학생을 위한 표준 한국어》는 〈의사소통 한국어〉 교재와 〈학습 도구 한국어〉 교재로 나뉘어 있습니다. 〈학습 도구 한국어〉는 〈의사소통 한국어〉 3권이나 4권을 배우는 학생들이 선택하여 사용할 수 있습니다. 교사와 학생은 필요에 따라 〈의사소통 한국어〉 5차시~8차시 내용을 선택하여 공부하거나(선택 내용 1) 학년에 맞는 〈학습 도구 한국어〉를 선택하여 공부하면 됩니다(선택 내용 2).

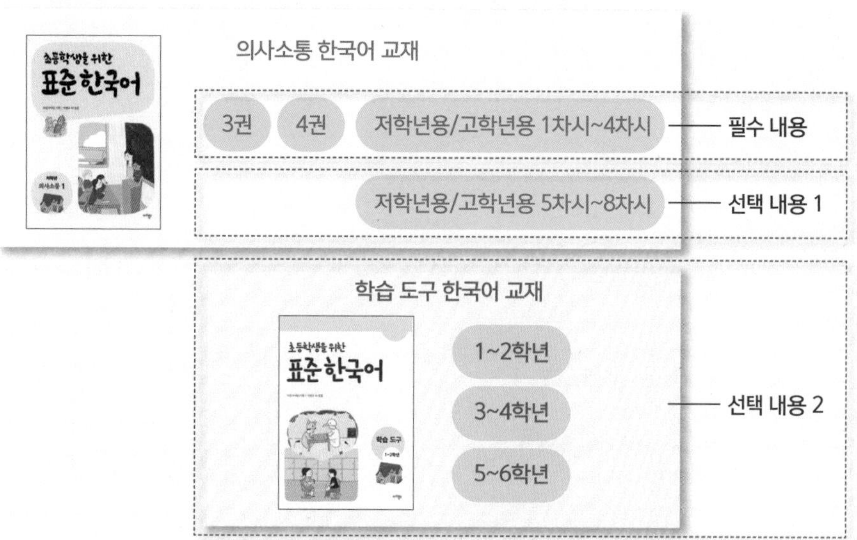

◈ 교과 학습 활동의 바탕을 이루는 한국어 교육 내용의 체계화

〈학습 도구 한국어〉는 초등학교의 학년군별 주요 교과 내용을 중심으로 수업 시간에 자주 사용되는 한국어 어휘와 표현을 제시하고 있습니다. 교과 학습의 주제와 기능을 학년에 맞는 수업 맥락 속에서 경험하고 이해하도록 하였습니다.

◈ 놀이 활동이나 협동 활동의 특화

학년에 맞는 놀이 활동이나 협동 활동을 별도의 차시 내용으로 구성하였으며, 이 과정에서 자연스럽게 한국어 학습이 이루어지도록 하였습니다.

◈ 다양한 어휘 내용의 제시

용례를 제시하거나 개념을 설명하는 별도의 어휘 내용을 구성하였고 교재의 다양한 맥락에서 학습 도구 어휘를 배울 수 있도록 하였습니다. 어휘 내용은 《초등학생을 위한 표준 한국어 익힘책》 교재를 활용하면 더욱 효과적으로 접근할 수 있습니다.

이 책의 구성

단원	단원명	단원 주제	학습 도구 어휘				놀이/협동 활동
			부엉이 선생님	꼬마 수업	용례 제시	선택 어휘	
1	탐구 활동을 해요	1. 탐구 활동 이해하기 2. 여러 가지 탐구 활동 살펴보기	탐구 활동	용액 입자	움직임 방식 영향 환경	번갈다 설명 관찰 주제	'말로 하는 고누' 놀이
2	이럴 땐 이런 생각	1. 어림하여 말하기 2. 상황을 추측해서 이해하기	어림	관용구	재다 측정 추측 단서 짐작	표시 정확히 의미 상황	'숫자를 찾아요' 놀이
3	계획하고 실행하고	1. 글쓰기를 위한 계획 알아보기 2. 조사 계획 살펴보기	글쓰기 계획	꽃과 열매	계획 개요 보존 조사 실행 파악	내용 글의 짜임 자료 알아보다 드러나다	묻고 답하기 놀이
4	나란히 놓고 보면	1. 공통점과 차이점을 찾는 활동 이해하기 2. 차이점을 확인하며 사물을 살펴보기	비교의 좋은 점	직육면체와 정육면체	공통점 차이점 비교 입체	달라지다 반면 구성 모서리	주사위 놀이
5	어려운 문제일수록	1. 계산 문제 풀어 보기 2. 생각을 펼치는 토론 활동 살펴보기	토론	단위	구하다 해결 반대 문제점 바람직하다	방법 찬성 보호	'찬성! 반대!' 인터뷰 놀이
6	수행 평가	1. 친구들의 작품을 평가하기 2. 수행 평가 과정 익히기	수행 평가		작품 제출 점검 태도	전시 평가 범위	미니북 만들기 활동
7	독서 기록장	1. 이어질 내용 상상하기 2. 독서 기록장 쓰기		독서 기록장	상상 관점 재구성 배경 창의적	순서 작품 바꾸다	'이야기 만들기' 놀이
8	여러 가지 가지런히	1. 기준을 세워 분류하기 2. 분류의 방법으로 설명하기	분류	선사 시대와 역사 시대	분류 기준 도구 나누다 묶다	용액 설명하다 정리	'분류 판을 채워라' 놀이

9	관찰 보고서	1. 관찰한 것을 말로 표현하기 2. 관찰 보고서 쓰기	관찰 보고서	현미경	표면 확대 대상 작성 변화 탐색	도구 실행 완성	'같은 동작 만들기' 놀이
10	예상할 수 있는 일	1. 짐작한 내용 쓰기 2. 예상한 것을 설명하기	예상하기	기후 지시약	참고 예상 결과 평균	이용 환경 의생활 식생활 주생활	탐정 놀이
11	요약과 기록	1. 내용을 요약하여 설명하기 2. 중요한 내용을 찾아 기록하기	요약 기록하기	양력과 음력	단순 구조 불가능 수단 대부분	기록 특징 적당하다 성질	'나누어 요약하기' 활동
12	여러 가지 비교 활동	1. 여러 가지 크기를 비교하여 이해하기 2. 중요한 특징을 찾아 서로 비교하기	비교	영토	정확히 비슷하다 특징 반면 형태	크기 결과 요약 모두 다르다 모습	'같아요, 달라요' 놀이
13	자료 분석	1. 자료를 부분으로 나누어 살펴보기 2. 자료를 이용하여 글을 쓰는 방법 이해하기	분석	자료 이용	구별 연결 요소 선택 간추리다	부분 나누다 구성 관련 있다	'누구게?' 놀이
14	내 생각에는	1. 수업 주제에 대한 의견 평가하기 2. 친구들의 의견에 대해 생각해 보기	평가	토의	적절하다 판단 검토 고려 장단점	환경 맞다 주제 의견	'생활 속 보물찾기' 놀이
15	문제를 해결하려면	1. 문제를 해결한 위인의 사례를 읽고 이해하기 2. 주장을 펼치는 글 써 보기	문제 해결 과정	문제 상황 주장과 근거	사례 어렵다 원인 효과적 까닭	대비 보고 떠오르다 제시	'문제 해결 왕' 놀이
16	미래 사회	1. 미래 사회에 대해 상상하고 발표하기 2. 상상한 것을 글로 써 보기	상상	여러 가지 일기	역할 자료 정하다 참여 연구 기술	미래 발달	'과학 상상 협동화 그리기' 활동

등장인물

준서(한국)
서영(한국)
타이선(베트남)
장위(중국)
빈센트(케냐)
솜푸(태국)
다니엘(필리핀)
유키(일본)
오딜(우즈베키스탄)
엠마(독일)
자르갈(몽골)
안찬원 선생님
강수연 선생님

차례

단원 주제

1. 탐구 활동 이해하기
2. 여러 가지 탐구 활동 살펴보기

1

탐구 활동을 해요

- 팔과 다리는 어떻게 움직일까요?
- 궁금한 것이 있을 때는 탐구 활동을 해요.
- 탐구 활동을 하면 궁금한 것을 알 수 있어요.

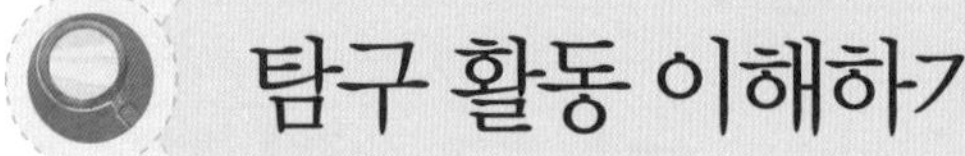

탐구 활동 이해하기

1. 탐구 활동이 무엇인지 알아봅시다.

1) 탐구 활동 과정이에요. 소리 내어 읽어 보세요.

❶ 궁금한 것 질문하기

사람들의 팔과 다리는 어떻게 움직일까?

❷ 자세히 살펴보기

운동선수의 움직임을 관찰했다. 운동선수는 두 팔을 번갈아 움직이면서 뛰고 있었다. 입을 벌리고 크게 숨을 쉬는 모습도 볼 수 있었다. 오르막길에서는 점차 느리게 뛰는 선수도 있었다. 뛰면서 팔을 번갈아 움직이는 방식은 모두 비슷했다.

❸ 더 찾아보기

어려운 말이 있어요? 확인해 봐요.

움직임

이렇게 사용해요

달팽이는 움직임이 느리다.
장위는 강아지의 움직임을 자주 관찰한다.

방식

이렇게 사용해요

사람들이 웃는 방식은 여러 가지이다.
살아가는 모습이나 형식을 '생활 방식'이라고 부른다.

2) 탐구 활동의 과정을 아래와 같이 정리했어요. 알맞은 말을 (　　)에 써 보세요.

① 팔과 다리의 움직임에 대해서 질문하기
② 운동선수의 움직임을 (　　　　　　　　　　　　　　　　　)
③ 움직임에 대한 설명을 백과사전에서 (　　　　　　　　　　　　)

2. 탐구 활동의 결과를 아래와 같이 발표할 수 있어요. 소리 내어 읽어 봅시다.

저는 팔과 다리의 움직임에 대해서 탐구했습니다. 먼저 운동선수의 뛰는 모습을 관찰했습니다. 운동선수는 팔과 다리를 굽혔다 펴면서 번갈아 움직이고 있었습니다. 그다음에는 백과사전을 찾아서 움직임에 대한 설명을 읽었습니다. 팔과 다리를 움직일 때는 뼈에 붙어 있는 근육이 늘어나거나 줄어들게 된다는 사실을 알았습니다.

탐구 활동

궁금한 내용을 알아볼 때는 탐구 활동을 해요. 궁금한 내용을 자세히 관찰하고 백과사전 등을 찾아 읽어야 해요. 탐구 활동의 결과는 잘 정리해서 발표해요.

여러 가지 탐구 활동 살펴보기

1. 과학 시간에 할 수 있는 탐구 활동의 모습을 살펴봅시다.

1) 선생님과 다니엘의 말을 잘 들어 보세요.

각설탕은 물에 넣으면 녹아요.
각설탕이 녹으면 어떻게 될까요?
자세히 관찰해 보세요.

물에 각설탕을 넣으면 형태가
점차 변해요. 숟가락으로 물을
휘저으면 결국 없어져요.

자, 이제 교과서의
설명을 읽어 보세요.

설탕이 물에 녹으면 설탕 용액이 만들어진다. 설탕은 눈에 보이지 않는 아주 작은 입자가 되어 물에 섞이는 것이다.

아, 각설탕은 녹아서
그냥 없어진 것이 아니에요.
아주 작아져서 물에 섞여요.

꼬마 수업

용액

여러 물질이 녹아서 잘 섞여 있는 액체가 '용액'이에요. 무엇이 잘 녹아서 물에 섞여 있는 것을 의미해요.

입자

어떤 물질을 이루는 아주 작은 알갱이를 '입자'라고 말해요. '모래의 입자', '설탕의 입자' 등을 예로 들 수 있어요.

2) 다니엘이 탐구 활동 결과를 발표하는 모습을 살펴보세요.

① 탐구 활동 과정을 정리했어요. 활동 과정과 내용을 선으로 이어 보세요.

활동 과정	내용
질문하기 •	• 각설탕은 없어지는 것이 아니라 눈에 안 보이는 아주 작은 입자가 되어 물에 섞인다는 것을 알게 되었다.
관찰하기 •	• 각설탕이 물에 녹으면 어떻게 될까?
교과서의 설명 읽기 •	• 각설탕은 물속에서 형태가 변하다가 결국 없어졌다.
알게 된 내용 정리하기 •	• 설탕이 녹으면 작은 입자가 되어 물에 섞이면서 설탕 용액이 만들어진다.

② 다니엘이 발표하고 있어요. 밑줄 그은 부분을 바르게 고쳐서 말해 보세요.

저는 각설탕이 물에 녹으면 어떻게 되는지 탐구했습니다. 각설탕은 물속에서 형태가 변하다가 결국 없어지는 것을 볼 수 있었다. 교과서를 보면 설탕이 녹으면 작은 입자가 되어 물에 섞이면서 설탕 용액이 된다고 한다. 각설탕이 물속에서 녹아 없어지는 것이 아니라 눈에 안 보이는 작은 입자가 되어 섞인다는 것을 알게 되었다.

2. 사회 시간에 할 수 있는 탐구 활동 모습을 살펴봅시다.

1) 타이선은 무엇을 읽고 있어요? 소리 내어 읽어 보세요.

환경은 사람들의 생활에
어떤 영향을 미칠까요?
신문 기사와 백과사전의
내용을 읽어 보세요.
내용을 잘 읽고 알게 된 것을
정리해 보세요.

바람이 많이 부는 지역에서는 바람의 힘으로 전기를 생산한다. 풍력 발전을 하는 것이다. 바람이 많은 환경을 이용하면 에너지를 얻을 수 있다.

풍력 발전기는 커다란 날개를 가지고 있어서 큰 바람개비와 같은 모습이다. 날개가 회전하는 힘으로 전기가 생산된다.

신문 기사와 백과사전을
읽어 보니 탐구 주제에 대해서
알 수 있구나.

어려운 말이 있어요? 확인해 봐요.

환경

이렇게 사용해요

쓰레기를 많이 버리면 환경이 오염된다.
환경 보호를 위해 많은 사람들이 노력하고 있다.

영향

이렇게 사용해요

날씨는 사람들이 옷을 입는 방식에 영향을 미친다.
나는 운동을 좋아하는 친구에게 많은 영향을 받았다.

2) 타이선이 탐구 주제에 대하여 알게 된 것을 찾아 써 보세요.

- 바람이 많은 환경을 ______________________________
______________________________.

- 풍력 발전기는 ______________________________
______________________________.

3. 타이선이 알게 된 것을 보면서 어떤 생각을 했어요? '나의 생각'을 자유롭게 그림으로 그리고 친구들에게 설명해 보세요.

〈나의 생각〉

함께 해 봐요

1. '말로 하는 고누' 놀이를 해 봅시다.

1) 준비물과 하는 방법을 잘 살펴보세요.

〈준비물〉

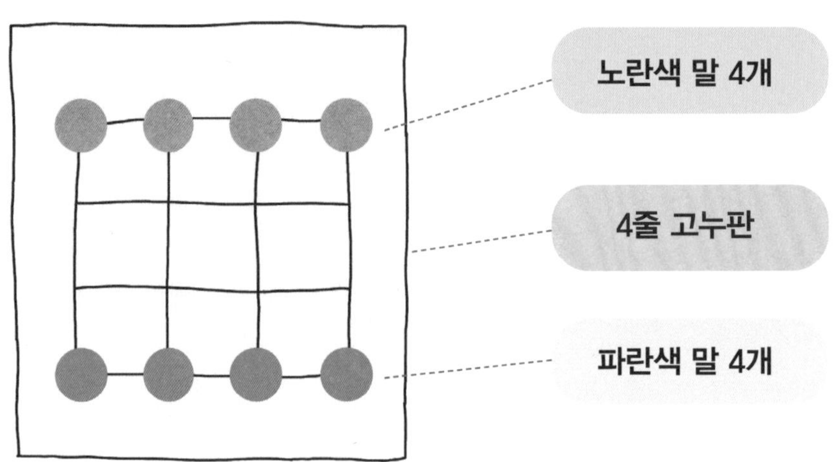

〈놀이 방법〉

① 순서를 정해서 말을 움직인다.

② 순서대로 가로 혹은 세로, 직선으로만 움직인다.

③ 한 칸 혹은 여러 칸 움직일 수 있다.

④ 대각선으로는 못 움직이고, 말을 건너뛸 수 없다.

⑤ 상대의 말을 못 움직이게 하면 그 말을 딸 수 있다.

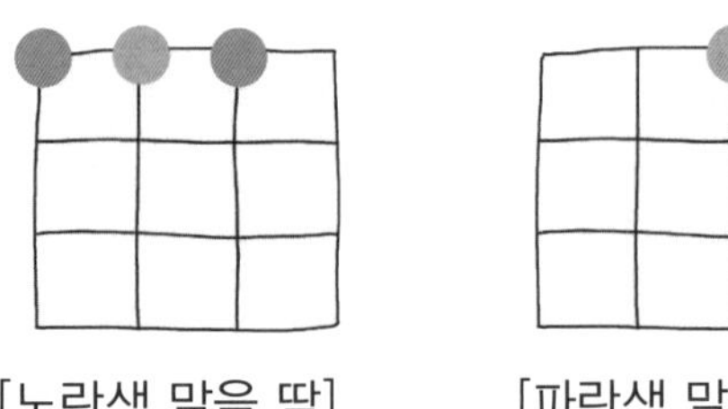

[노란색 말을 땀] [파란색 말을 땀]

2) 아래와 같이 말하면서 고누 놀이를 해 보세요.

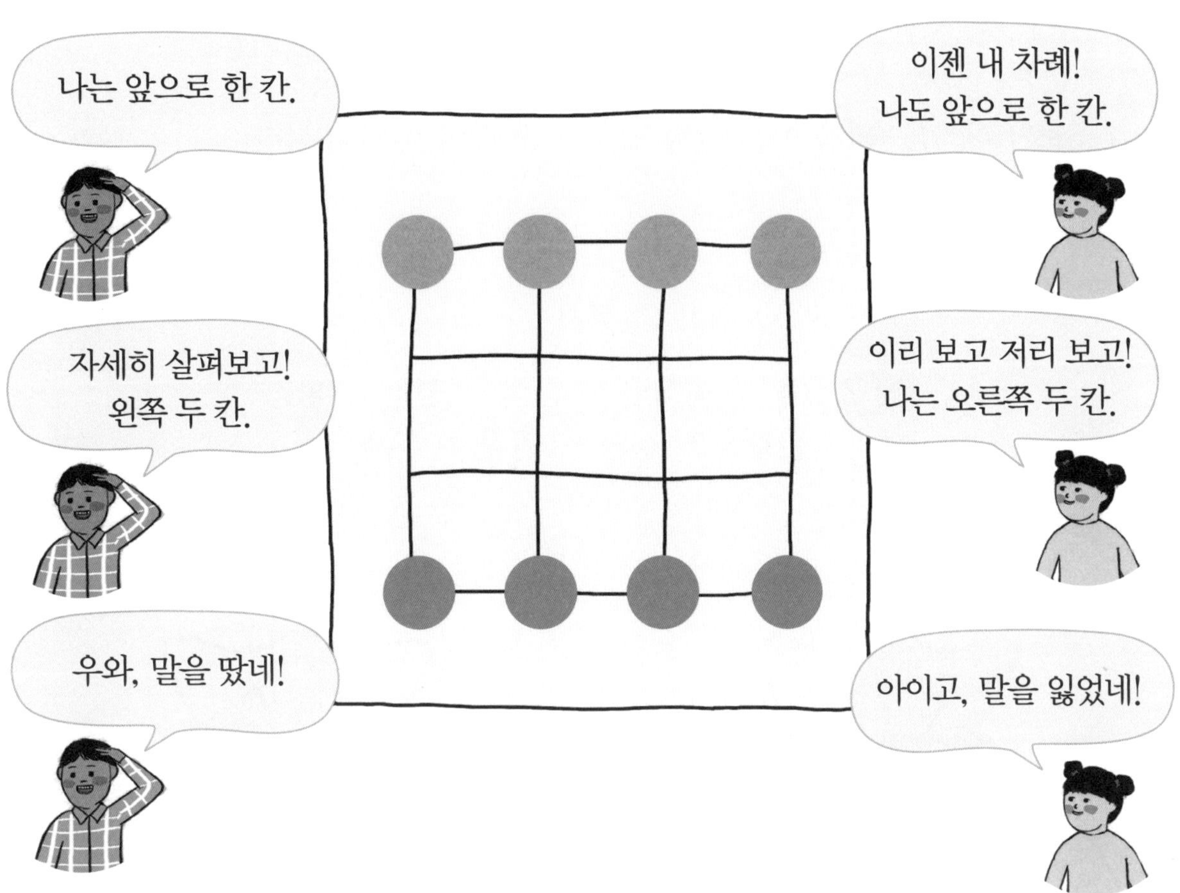

2. 고누 놀이를 하면서 친구들과 어떤 말을 주고받았어요? 주고받은 말을 써 봅시다.

되돌아보기

1. 보기 에 있는 말을 아는 말과 모르는 말로 나눠 써 봅시다.

보기

탐구 활동 움직임 방식 영향 환경
번갈아 설명 관찰 주제

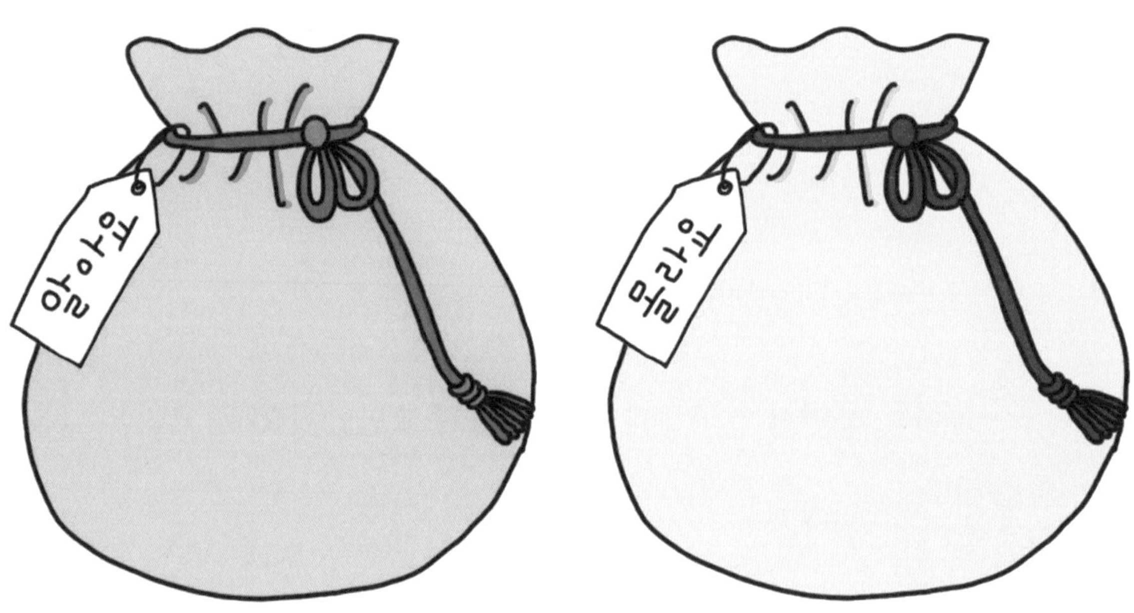

2. 모르는 말 중에서 하나를 골라요. 몇 쪽에 나와요? 말을 찾아서 읽어 봅시다.

3. 아래의 탐구 활동으로 무엇을 알게 되었는지 정리해서 써 봅시다.

❶ 궁금한 것 질문하기

사람들의 팔과 다리는 어떻게 움직일까?

❷ 자세히 살펴보기 [운동선수가 뛰는 모습 관찰]

운동선수는 두 팔을 번갈아 움직이면서 뛰고 있었다. 입을 벌리고 크게 숨을 쉬는 모습도 볼 수 있었다. 오르막길에서는 점차 느리게 뛰는 선수도 있었다. 뛰면서 팔을 번갈아 움직이는 방식은 모두 비슷했다.

❸ 더 찾아보기 [백과사전 읽기]

사람들이 팔을 움직일 때는 근육도 함께 움직인다. 뼈에 붙어 있는 근육이 늘어나거나 줄어드는 것이다. 팔을 펴면 근육이 늘어나고 팔을 굽히면 근육은 줄어든다.

단원 주제

1. 어림하여 말하기
2. 상황을 추측해서 이해하기

2

이럴 땐 이런 생각

- 당근의 무게는 어떻게 알 수 있을까?
- 저울이 없으면 무게가 얼마인지 어떻게 말할 수 있을까?

어림하여 말하기

1. 무게를 어림해서 말하는 모습을 살펴봅시다.

1) 엠마의 말을 소리 내어 읽어 보세요.

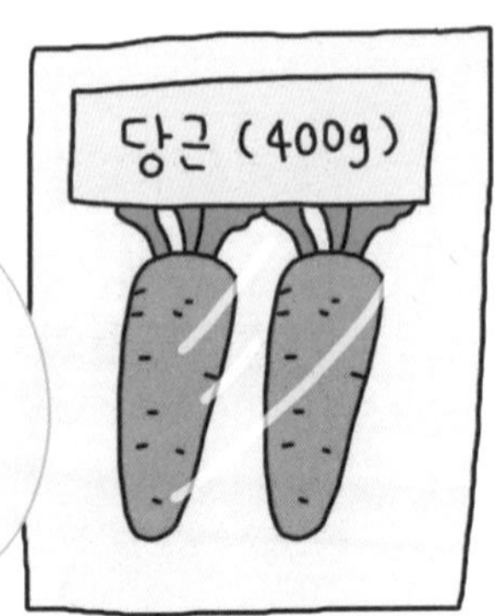

당근 한 개의 무게를 어림할 수 있어.
당근 한 봉지의 무게가 400g이고
한 봉지 안에는 당근이 두 개 들어 있어.
따라서 전체 무게를 둘로 나누어 생각하면 돼.

양파 한 개의 무게를 어림할 수 있어.
양파 한 봉지의 무게가 1kg이고 한 봉지 안에는
양파가 네 개 들어 있어. 따라서 전체 무게를
넷으로 나누어 생각하면 돼.

2) 엠마가 되어 아래와 같이 무게를 어림해서 말해 보세요.

① "당근 한 개의 무게는 ________________일 거야."

② "양파 한 개의 무게는 ________________일 거야."

어림

무게나 길이 등이 어떠한지 짐작해 보는 것이 '어림'이에요. 수학 시간에 많이 사용하는 말이고 '어림하다'라는 표현도 써요.

2. 길이를 어림하는 모습을 살펴봅시다.

1) 그림과 설명을 잘 보고 파 조각의 길이를 어림하는 방법을 말해 보세요.

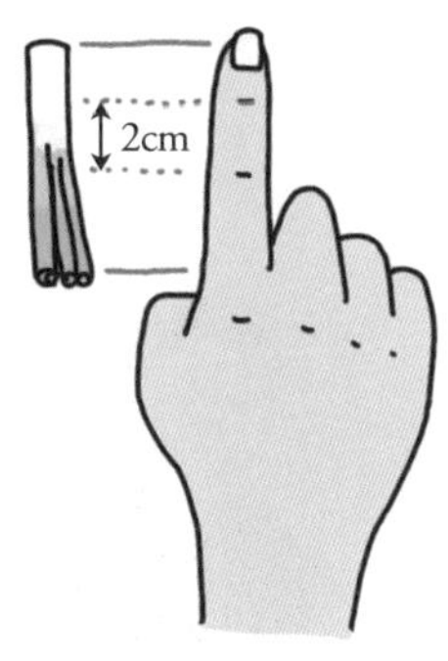

길이를 잴 때는 자를 이용한다. 자에 표시된 눈금을 읽으면서 길이를 측정할 수 있다. 자가 없어서 길이를 정확히 측정할 수 없으면 다른 방법을 사용하여 길이를 어림할 수 있다. 예를 들어 옆의 그림과 같이 손가락 한 마디의 길이가 2cm라면 손가락 마디와 파 조각을 나란히 두고 보면서 길이를 어림하는 것이다.

2) 파 조각의 길이를 어림하는 말이에요. 알맞은 말을 써 보세요.

"파 조각은 손가락 세 마디와 길이가 같다. 손가락 한 마디의 길이는 2cm이기 때문에 파 조각의 길이는 ______________일 것이다."

어려운 말이 있어요? 확인해 봐요.

잴(재다)

이렇게 사용해요

체중계로 몸무게를 쟀다.
자를 이용하여 지우개의 길이를 재 보았다.

측정

이렇게 사용해요

온도계를 이용하여 방 안 온도를 측정했다.
강아지가 움직인 거리를 측정해 보니 3m였다.

상황을 추측해서 이해하기

1. 말의 의미를 생각하며 대화의 상황을 살펴봅시다.

제가 색종이를 준비해 왔어요.

와, 강수연 선생님은
정말 손이 크시네요.

색종이 이야기를 하고 계셨는데.
왜 갑자기 손이 크다고
말씀하시지?

1) '손이 크다'의 뜻을 국어사전에서 찾았어요. 소리 내어 읽어 보세요.

손 01 명사 **1. 팔목 끝에 있으며 무엇을 만지거나 잡을 때 쓰는 몸의 부분.**

관용구 **손이 크다**

1. 씀씀이가 후하고 크다.

꼬마 수업 관용구

두 개 이상의 말이 함께 사용되면서 특별한 의미를 지니는 말이에요. 예를 들어 '발이 넓다'는 '발의 넓이가 넓다'가 아니라 '사귀는 사람이 많고 다양한 분야에서 활동하는 것'을 의미해요.

2) '손이 크다'라는 관용구 의미를 생각하며 대화 상황을 추측한 내용이에요. 소리 내어 읽어 보세요.

"안찬원 선생님께서 '강수연 선생님은 정말 손이 크시네요.'라고 말씀하신 것을 들었어. '손이 크다'는 무엇을 '많이 하다' 혹은 '크게 하다'와 같아. 그러니까 강수연 선생님께서 색종이를 굉장히 많이 가져오신 것이라고 추측할 수 있어."

어려운 말이 있어요? 확인해 봐요.

추측

이렇게 사용해요

결과를 추측하기 위해서는 과정을 잘 살펴봐야 한다.
이 발자국을 보면 누가 들어왔는지 추측할 수 있다.

2. 관용구의 의미를 생각하며 대화의 상황을 추측해 봅시다.

1) 밑줄 그은 관용구의 의미를 국어사전에서 찾아보세요.

어제 텔레비전에서 그 뉴스 봤니?

그래 봤어. 나는 정말 <u>내 눈을 의심했어</u>.

2) 관용구의 의미를 생각하며 아래와 같이 대화의 상황을 추측해서 말해 보세요.

"엄마가 '내 눈을 의심했어.'라고 말하는 것을 보면 ____________________

____________________ 상황이었을 거야."

3. 오딜이 좋아하는 이야기책의 내용입니다. 함께 읽고 물음에 답해 봅시다.

경찰

한 시간 전에 해변가 의자 위에 두었던 모자가 사라졌어요.
어떤 남자가 가져가는 것을 본 사람이 있습니다.
누가 가져갔는지 찾고 있어요. 당신은 한 시간 전에 어디에 있었나요?

남자

저는 아이스크림 가게에서 아이스크림을 사고 있었어요.
아이스크림을 이렇게 들고 있잖아요.

경찰

그렇다면 당신을 범인으로 추측할 수 있어요.
왜냐하면 당신의 아이스크림이 하나도 녹지 않았기 때문이에요.

1) 경찰은 남자를 범인이라고 추측하고 있어요. 그렇게 추측한 이유는 무엇이에요? 친구들과 이야기를 나눠 보세요.

2) 엠마와 오딜이 이야기책의 내용에 대해 대화를 나누고 있어요. 소리 내어 읽어 보세요.

경찰은 중요한 단서를 발견해서 범인을 추측할 수 있었어.

그래, 경찰은 남자의 행동과 말을 자세히 살펴보았어. 그래서 아이스크림이 중요한 단서라는 것을 발견했지. 그래서 범인이 누구인지 짐작할 수 있었어. 정말 재미있더라.

어려운 말이 있어요? 확인해 봐요.

단서

이렇게 사용해요

사건을 해결할 수 있는 결정적인 단서를 발견했다.
범인을 잡을 수 있는 유일한 단서는 바로 휴대 전화이다.

짐작

이렇게 사용해요

주인공의 행동을 보면서 주인공의 마음을 짐작했다.
이 그림을 보면 화가가 얼마나 행복했을지 짐작이 간다.

함께 해 봐요

1. '숫자를 찾아요' 놀이를 해 봅시다.

여러 가지 숫자가 있어요.
물음표가 있는 칸에는
어떤 숫자가 들어가야 해요?
우리 함께 숫자를 찾아요.

먼저 가로줄의 숫자들을 더해 보세요.
다음으로 세로줄의 숫자들을 더해 보세요.
마지막으로 대각선 줄의 숫자들을 더해 보세요.
더한 값이 얼마예요? 더한 값은 모두 같아요.

7	2	11	14
?	13	8	1
6	3	10	?
9	16	5	4

이제 다른 숫자들을 보세요.
가로와 세로, 대각선의 숫자들을
더한 값이 모두 같아야 해요.
빈칸에는 어떤 숫자를 넣어야 해요?
우리 함께 숫자를 찾아요.

	1	
	5	
	9	2

2. 여러분은 어떻게 숫자를 찾았어요? 숫자를 찾은 방법을 말해 봅시다.

되돌아보기

1. 보기 에 있는 말을 아는 말과 모르는 말로 나눠 써 봅시다.

보기

어림 재다 측정 추측 단서 짐작
표시 정확히 의미 상황

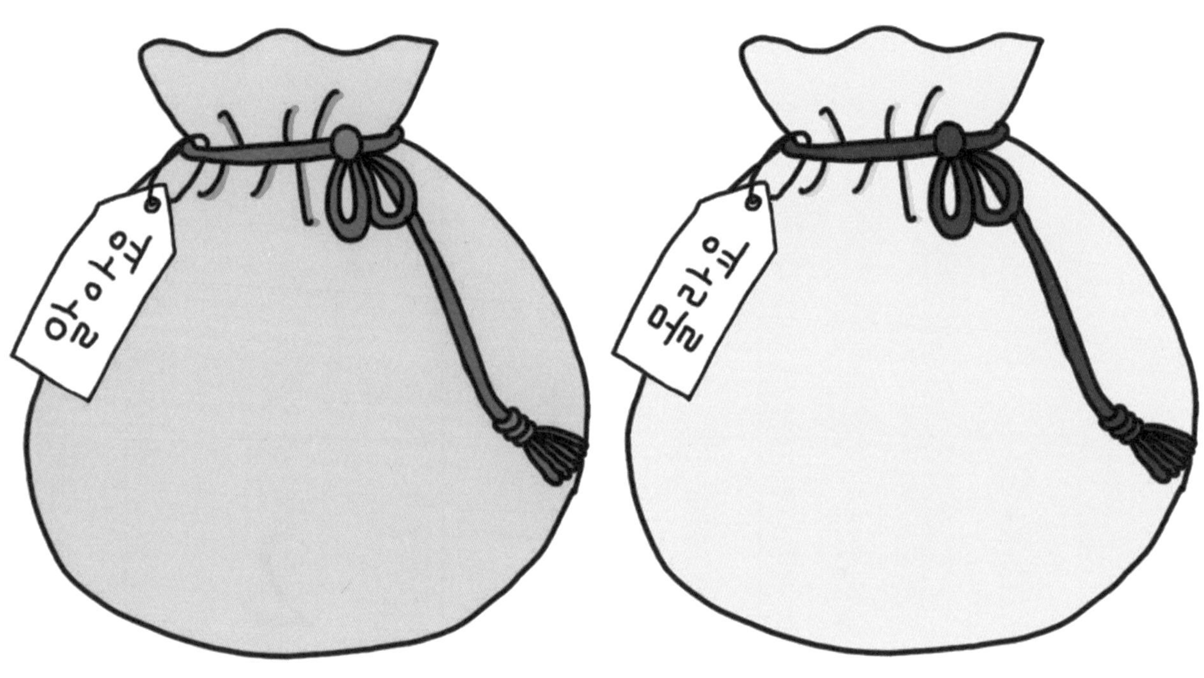

2. 모르는 말 중에서 하나를 골라요. 몇 쪽에 나와요? 말을 찾아서 읽어 봅시다.

3. 어림하거나 추측해서 생각해 봅시다.

1) 밤 한 톨의 무게를 어림해서 써 보세요. 이유를 생각해서 문장으로 써 보세요.

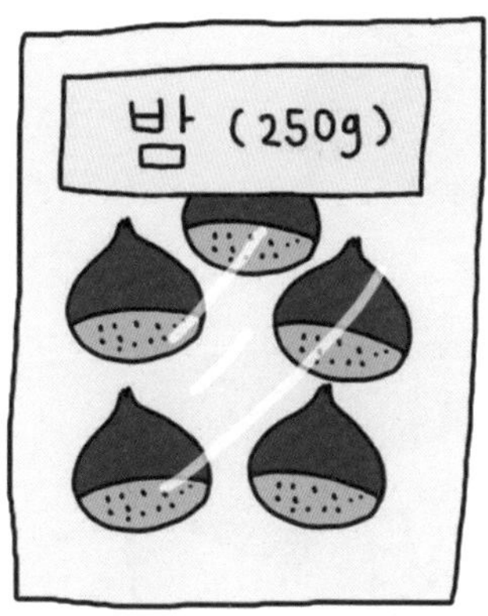

밤 한 톨의 무게는 ______________ 일 것이다.

이유: ____

____.

2) 관용구의 의미를 생각하며 대화 상황을 추측해서 친구들과 이야기를 나눠 보세요.

여기 내가 은행잎을 가져왔어.

와, 너는 정말 손이 크구나.

단원 주제

1. 글쓰기를 위한 계획 알아보기
2. 조사 계획 살펴보기

3

계획하고 실행하고

글쓰기를 위한 계획 알아보기

1. 아래의 글을 읽고 물음에 답해 봅시다.

글을 쓰기 전에 계획을 세우면 쓸 내용과 글의 짜임을 미리 생각해 볼 수 있습니다. 글을 쓰기 전에 중요한 내용을 적어 놓은 계획을 '개요'라고 부르기도 합니다. 해인사로 체험 학습을 다녀와서 쓴 글쓰기 계획표를 살펴봅시다.

장소	해인사
날짜	20○○년 ○○월 ○○일
보거나 들어서 알게 된 점	해인사에는 대장경판이 보관되어 있다는 것을 알게 되었다.
생각이나 느낌	우리의 문화재를 보존하기 위해 노력해야겠다.

1) 글을 쓰기 전에 미리 생각해야 하는 것은 무엇인지 찾아 읽어 보세요.

2) 체험 학습을 다녀와서 글을 쓸 때는 어떤 내용을 써야 해요?

글쓰기 계획

글을 쓰기 전에 계획을 세우면 읽는 사람이 이해하기 쉬운 글을 쓸 수 있어요. 글쓰기 계획을 세울 때는 '왜 글을 쓰는지', '글의 주제는 무엇인지', '글을 읽을 사람은 누구인지' 생각해야 해요.

어려운 말이 있어요? 확인해 봐요.

계획

이렇게 사용해요

방학 계획을 세워 놓고 지키지 못했다.
여행을 가서 무엇을 할지 계획은 정했니?

개요

이렇게 사용해요

글을 쓰기 전에 간단하게 개요를 작성했다.
중요한 사건을 개요로 정리해서 외우는 게 어때?

보존

이렇게 사용해요

대장경판이 잘 보존되어 있다.
다음 세대를 위해 문화재 보존에 힘써야 한다.

2. 빈칸에 들어갈 알맞은 문장을 **보기** 에서 골라 개요를 완성해 봅시다.

보기

- 참성단은 단군왕검이 하늘에 제사를 지내던 곳이라는 것을 알게 되었다.
- 마니산 정상에서 본 바다가 아름다웠다.

장소	강화도 마니산
날짜	20○○년 ○○월 ○○일
보거나 들어서 알게 된 점	
생각이나 느낌	

조사 계획 살펴보기

1. 그림을 살펴보고 물음에 답해 봅시다.

유키, 옷에 까만 것이 묻었어.

어, 이게 뭐지?

잘 안 떨어져.

옷에 도깨비바늘이 붙었구나.

도깨비바늘이 뭐지?

도깨비바늘에 대해 조사해 보아야겠다. 무슨 내용을 어떻게 조사할지 계획을 먼저 세우고 실행해 보자.

1) 유키가 조사해 보고 싶은 것은 무엇이에요?

2) 조사하기 전에 무엇을 하려고 해요?

2. 조사 계획표를 살펴보고 물음에 답해 봅시다.

조사 계획표

________	도깨비바늘
________	여러 가지 자료를 찾아 도깨비바늘에 대해 알아보기
조사 기간	20○○년 ○○월 ○○일 ~ ○○월 ○○일
________	• 도깨비바늘의 생김새를 파악할 수 있는 자료 • 도깨비바늘의 꽃과 열매의 모습을 보여 주는 자료
조사 방법	식물도감 찾아보기, 인터넷 검색하기, 어른들께 여쭤보기 등
조사 결과 정리 방법	도깨비바늘의 생김새가 잘 드러나는 사진도 함께 붙이는 것이 좋겠음.

1) 빈칸에 들어갈 내용을 **보기** 에서 찾아 써 보세요.

보기

조사 목적　　**조사 주제**　　**조사 내용**

2) 어떤 방법으로 조사하기로 했는지 찾아 읽어 보세요.

꼬마 수업 **꽃과 열매**

식물의 종류에 따라 다양한 모양과 색깔의 꽃이 피어요. 꽃에서 씨가 만들어지면, 씨를 싸고 있는 부분은 열매가 돼요. 우리가 먹는 사과가 열매예요. 다 자란 열매의 씨는 다양한 방법으로 퍼져요. 도깨비바늘은 동물의 몸에 달라붙어 퍼져요.

어려운 말이 있어요? 확인해 봐요.

조사

이렇게 사용해요

궁금한 것이 생겼을 때는 조사를 해요.
우리 반 친구들이 좋아하는 음식을 조사했다.

실행

이렇게 사용해요

학급 회의에서 결정한 내용을 실행했다.
다니엘은 목표를 정하면 바로 실행에 옮긴다.

파악

이렇게 사용해요

실험이 잘못된 원인을 파악해 보았다.
오딜은 눈치가 빨라서 분위기 파악을 잘해.

3. 조사 계획에 따라 조사한 자료를 보고, 조사 계획표를 완성해 봅시다.

조사 계획표

조사 주제	다양한 식물의 뿌리
조사 목적	여러 가지 자료를 찾아 다양한 모습의 식물 뿌리 알아보기
조사 기간	20○○년 ○○월 ○○일 ~ ○○월 ○○일
조사 내용	
조사 방법	
조사 결과 정리 방법	식물의 뿌리 모습이 잘 드러나는 사진도 함께 붙이는 것이 좋겠음.

조사한 자료

고구마는 물과 양분을 뿌리에 저장하기 때문에 뿌리가 크고 굵습니다.

물에 사는 맹그로브는 뿌리 일부가 물 위로 나와 있습니다.

함께 해 봐요

1. 묻고 답하기 놀이를 해 봅시다.

2. 놀이한 것을 떠올리며 계획표를 완성해 봅시다.

글쓰기 계획표

장소	
보거나 들어서 알게 된 점	
생각이나 느낌	

조사 계획표

조사 주제	
조사 내용	
조사 방법	

되돌아보기

1. 아는 낱말에 ○표 해 봅시다.

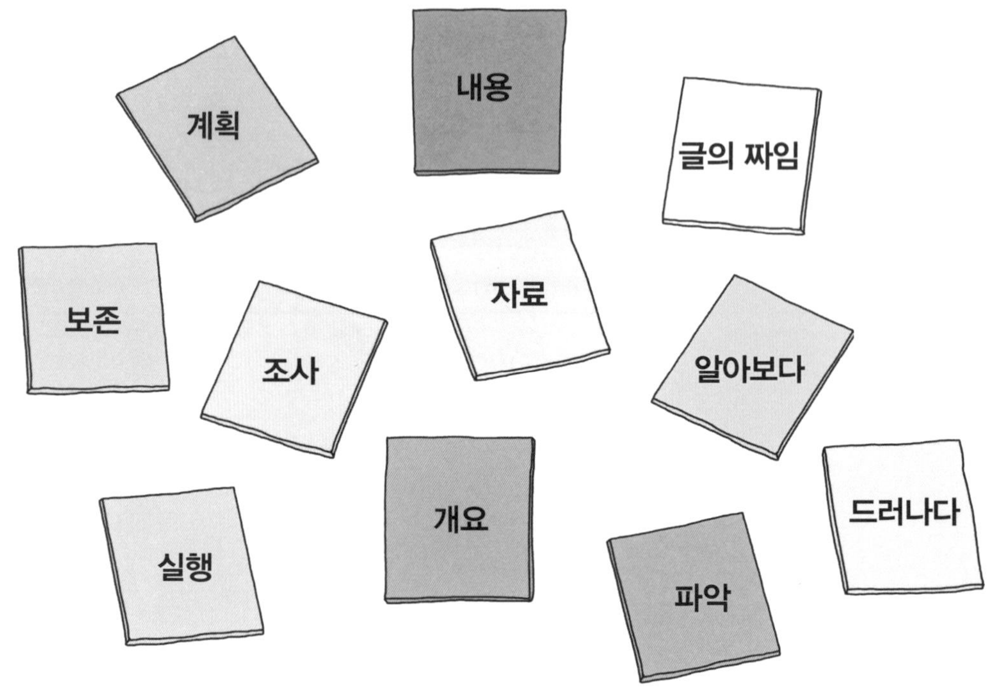

2. 위의 낱말을 사용하여 빙고 놀이를 해 봅시다.

3. **보기** 에서 알맞은 문장을 골라 글쓰기 계획표를 완성해 봅시다.

보기

- **화성을 보존하기 위해 노력해야겠다.**
- **정조 대왕이 수원 화성을 만들게 된 이유에 대해 알게 되었다.**

장소	수원 화성
날짜	20○○년 ○○월 ○○일 ~ ○○월 ○○일
보거나 들어서 알게 된 점	
생각이나 느낌	

4. **보기** 에서 알맞은 문장을 골라 조사 계획표를 완성해 봅시다.

보기

- **꽃의 역할을 설명하는 자료**
- **식물도감 찾아보기, 인터넷 검색하기 등**

조사 주제	꽃의 생김새
조사 내용	꽃의 생김새를 파악할 수 있는 자료
조사 방법	
조사 결과 정리 방법	꽃의 생김새가 잘 드러나는 사진도 함께 붙이는 것이 좋겠음.

단원 주제

1. 공통점과 차이점을 찾는 활동 이해하기
2. 차이점을 확인하며 사물을 살펴보기

4
나란히 놓고 보면

공통점과 차이점을 찾는 활동 이해하기

1. 내용을 생각하며 글을 읽어 봅시다.

사자와 호랑이를 알고 있나요? 사자와 호랑이는 어린이들에게 인기가 많은 동물입니다. 또 작은 동물들을 먹고 산다는 공통점이 있습니다.

사자는 함께 다니는 것을 좋아해서 무리 지어 삽니다. 수사자와 암사자는 자라면서 생김새가 달라집니다. 다 자란 수사자는 갈기가 있고, 암사자는 갈기가 없습니다.

반면에 호랑이는 혼자 있는 것을 좋아해서 혼자 삽니다. 호랑이는 성별에 상관없이 모두 줄무늬를 가지고 있다는 점에서 사자와 차이점이 있습니다.

1) 사자와 호랑이의 공통점을 찾아 밑줄을 그어 보세요.

2) 사자와 호랑이의 차이점을 찾아 써 보세요.

어려운 말이 있어요? 확인해 봐요.

공통점

이렇게 사용해요

장미와 무궁화는 꽃이라는 공통점이 있다.
짝과 나의 공통점은 둘 다 책을 좋아한다는 것이다.

차이점

이렇게 사용해요

사과와 배는 모두 과일이지만 차이점이 많다.
원과 삼각형은 모양이 다르다는 차이점이 뚜렷하다.

2. 문어와 오징어를 비교하고, 표에 알맞은 붙임 딱지를 붙여 봅시다. 붙임 딱지

	문어	오징어
공통점	[붙임 딱지]	
차이점	[붙임 딱지]	[붙임 딱지]

차이점을 확인하며 사물을 살펴보기

1. 글을 읽고 물음에 답해 봅시다.

수학 시간입니다. 오딜과 엠마가 각자 가져온 물건을 보면서 다투고 있습니다. 오딜은 휴지 상자와 주사위의 모양을 비교하며, 모양이 서로 같다고 합니다. 하지만 엠마는 둘의 모양이 다르다고 합니다.

휴지 상자와 주사위는 모두 입체 도형이야. 그리고 6개의 사각형으로 구성되어 있어.

휴지 상자는 직사각형이 6개고, 주사위는 정사각형이 6개야.

휴지 상자와 주사위는 모두 모서리가 12개야.

휴지 상자는 모서리 길이가 다른 것이 있는데, 주사위는 모서리 길이가 모두 같아.

1) 오딜과 엠마는 무엇과 무엇을 비교하고 있어요?

2) 두 입체 도형의 공통점은 무엇인지 찾아 읽어 보세요.

3) 두 입체 도형의 차이점은 무엇인지 찾아 읽어 보세요.

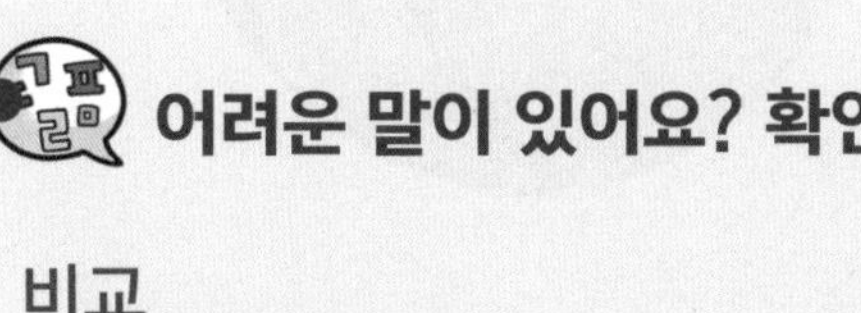

어려운 말이 있어요? 확인해 봐요.

비교

이렇게 사용해요

두 사물을 비교해 보았다.
태양은 지구와 비교도 되지 않을 만큼 크다.

입체

이렇게 사용해요

직육면체와 정육면체는 입체 도형이다.
종이로 접은 공에 바람을 불어 넣자 입체로 변했다.

꼬마 수업 **직육면체와 정육면체**

휴지 상자와 같은 모양을 직육면체라고 해요. 주사위와 같은 모양을 정육면체라고 해요. 직육면체와 정육면체에는 면과 모서리, 꼭짓점이 있어요.

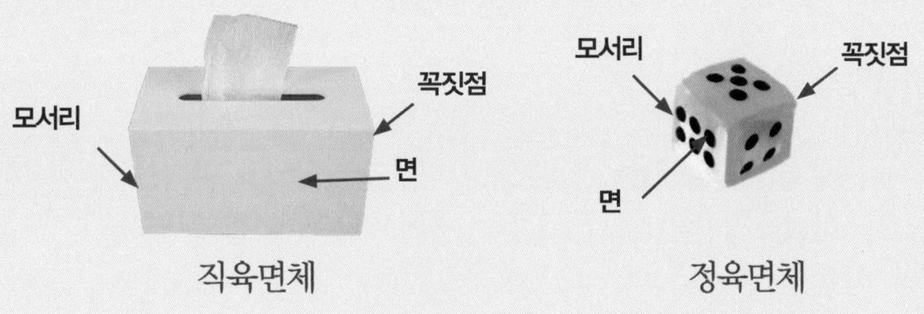

직육면체 정육면체

2. 축구공과 농구공을 비교하여 표를 완성해 봅시다.

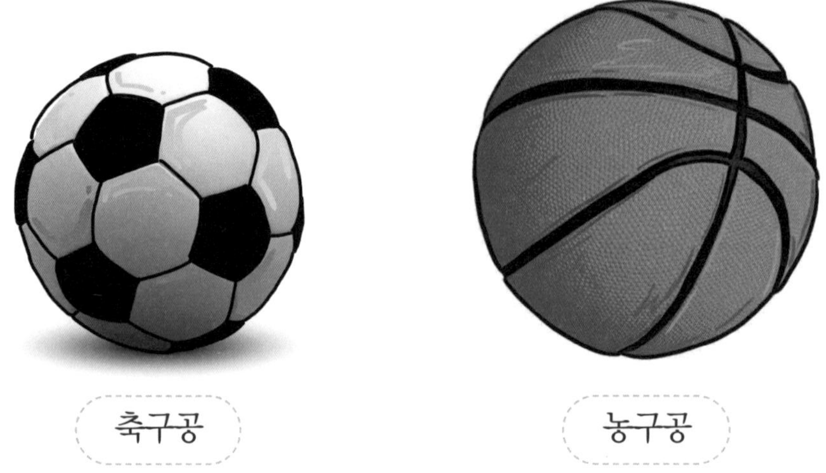

	축구공	농구공
	동그란 공 모양이다. 운동 경기나 체육 시간에 사용한다.	
차이점		

비교의 좋은 점

두 사물을 비교할 때는 공통점과 차이점을 찾아봐요. 두 사물을 비교하면 중요한 사실을 발견할 수도 있고, 두 사물에 대해 더 잘 알 수 있어요.

3. 표에 정리한 내용을 생각하며 글을 완성해 봅시다.

축구공과 농구공

축구공과 농구공을 비교하여 살펴보자. 축구공과 농구공은 모두 동그란 공 모양이다. 그리고 운동 경기나 체육 시간에 사용한다는 공통점이 있다.

축구공과 농구공에는 몇 가지 차이점도 있다.

1) 두 사물의 차이점이 잘 드러났는지 생각하며 쓴 글을 읽어 보세요.

2) 쓴 글을 짝과 바꿔서 읽어 보세요.

함께 해 봐요

1. 주사위 놀이를 해 봅시다.

2. 주사위 놀이를 하면서 비교한 내용을 써 봅시다.

공통점		
차이점		

공 통 점
앞으로 1칸!
직육면체
정육면체
공 통 점
앞으로 1칸!
직사각형
정사각형
차 이 점
1개 말하면 앞으로 1칸!
2개 말하면 앞으로 2칸!
축구공
농구공
차 이 점
맞으면 앞으로 2칸!
틀리면 무인도로!
사자
호랑이
차 이 점
앞으로 1칸!
직사각형
정사각형
주사위를 던지는
기회가 1번
사라집니다.
무 인 도
공 통 점
앞으로 2칸!
문어
오징어
차 이 점
1개 말하면 앞으로 1칸!
2개 말하면 앞으로 2칸!
사과
배
차 이 점
1개 말하면 앞으로 1칸!
2개 말하면 앞으로 2칸!
직육면체
정육면체
공 통 점
앞으로 1칸!
축구공
농구공
시작
공 통 점
앞으로 1칸!
사과
배
공 통 점
앞으로 2칸!
사자
호랑이
차 이 점
앞으로 3칸!
문어
오징어

되돌아보기

1. 배운 낱말을 떠올리며 빈칸을 채워 봅시다.

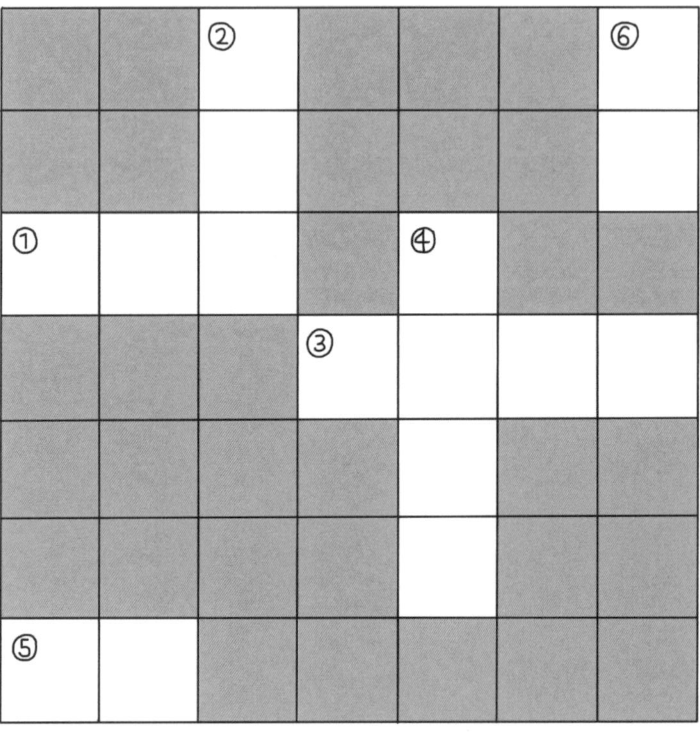

[가로 열쇠]

① 문어와 오징어는 바다에 산다는 ○○○이 있다.

③ 휴지 상자는 ○○○○ 모양이다.

⑤ 휴지 상자와 주사위는 ○○ 도형이다.

[세로 열쇠]

② 문어는 다리가 8개이고, 오징어는 다리가 10개라는 점에서 ○○○이 있다.

④ 주사위는 ○○○○ 모양이다.

⑥ 사자와 호랑이를 ○○하여 설명하면 이해하기 쉽다.

2. 위의 낱말 중 2개를 골라 각각 문장을 만들어 봅시다.

3. 두 사물을 비교하여 쓴 글을 읽고 틀린 부분을 찾아 고쳐 써 봅시다.

단소 | 플루트

단소와 플루트를 비교하여 살펴봅시다. 단소와 플루트는 둘 다 입으로 불어 소리를 냅니다. 여러 가지 음을 연주할 수 있다는 차이점도 있습니다.

단소와 플루트는 차이점도 있습니다. 단소는 한국의 전통 악기입니다. 단소는 악기를 옆으로 눕혀 연주를 합니다. 플루트는 서양의 악기입니다. 악기를 세로로 길게 세워 연주한다는 점에서 단소와 공통점이 있습니다.

1) 윗글에서 틀린 부분을 찾아 밑줄을 그어 보세요.

2) 밑줄 그은 부분을 바르게 고쳐 써 보세요.

①

②

③

단원 주제

1. 계산 문제 풀어 보기
2. 생각을 펼치는 토론 활동 살펴보기

5
어려운 문제일수록

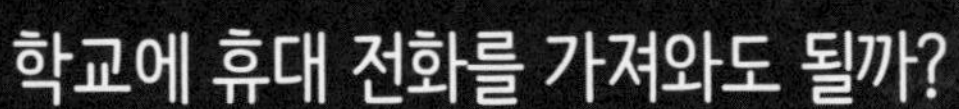
학교에 휴대 전화를 가져와도 될까?

저는 학교에 휴대 전화를 가져와도 된다고 생각합니다.
저는 학교에 휴대 전화를 가져와도 된다는 의견에 반대합니다.

계산 문제 풀어 보기

1. 엠마와 오딜이 계산 문제를 풀고 있어요. 대화를 소리 내어 읽어 봅시다.

그림을 보고 초록 공원의 넓이를 구하시오.

초록 공원의 모양은 직사각형이야. 직사각형의 넓이를 구하려면 가로와 세로를 곱해야 해. 초록 공원의 가로가 1,500m, 세로가 1,000m인데 km로 바꿔서 곱하는 것이 좋겠어.

1,500m는 1.5km, 1,000m는 1km야. 1.5×1=1.5니까 초록 공원의 넓이는 1.5km²야.

넓이가 맞는지 풀이 과정을 다시 한번 확인해 볼까?

1) 구하려고 하는 것은 무엇이에요?

2) 직사각형의 넓이를 구하는 방법은 무엇이에요?

3) 엠마가 문제를 해결하기 위해 구한 식을 써 보세요.

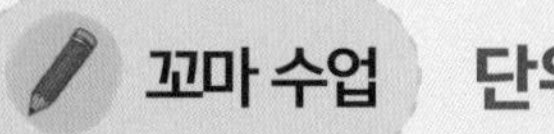

꼬마 수업 단위

단위는 길이, 넓이, 양, 무게 등을 수로 나타낼 때의 기준이에요. 길이와 넓이를 나타낼 때에는 단위를 잘 살펴봐야 해요. 길이를 나타내는 단위에는 cm, m, km 등이 있고, 넓이를 나타내는 단위에는 ㎠, ㎡, ㎢ 등이 있어요.

어려운 말이 있어요? 확인해 봐요.

구하려면(구하다)

이렇게 사용해요

답을 구하려면 어떻게 해야 할까요?
그 문제는 선생님께 조언을 구해 보자.

해결

이렇게 사용해요

친구와의 다툼은 스스로 해결해야 해.
미세먼지 문제를 해결하려면 자동차 매연을 줄여야 해.

2. 문제를 해결하는 과정을 알아봅시다. 수학 문제를 해결할 때 쓰는 표현을 소리 내어 읽어 봅시다.

문제 확인하기	구하려고 하는 것은 무엇인가요?
↓ 문제 해결 방법 찾기	어떤 방법으로 문제를 해결하면 좋을까요?
↓ 문제 해결하기	______ 을/를 구하시오.
↓ 확인하기	바르게 구했는지 확인해 보시오.

생각을 펼치는 토론 활동 살펴보기

1. 문제를 해결하는 방법을 생각하며 잘 들어 봅시다. 1

1) 터널을 만들면 좋은 점은 무엇일까요?

2) 터널을 만들면 생기는 문제점은 무엇일까요?

토론

생각이 서로 다른 문제가 있을 때는 토론을 통해 해결할 수 있어요. 토론이란 생각이 서로 다른 문제에 찬성하는 사람과 반대하는 사람이 옳고 그름을 따지는 것이에요. '초등학생이 화장을 해도 될까?', '도서실에서 학습 만화를 읽어도 될까?' 등 찬성과 반대가 나뉘는 주제에 대해 토론을 해요.

 **어려운 말이 있어요? 확인해 봐요.**

문제점

이렇게 사용해요

이 그림의 문제점을 찾아볼까?
우리가 만든 놀이에 여러 가지 문제점이 드러났어.

반대

이렇게 사용해요

찬성과 반대 의견을 모두 들어 봐야 해.
나는 가고 싶은데 부모님께서 반대하셔.

3) 어떤 방법으로 문제를 해결하면 좋을까요? 그림을 보고 이야기해 보세요.

2. 다니엘의 모둠이 '터널을 만드는 것이 좋은가?'에 대해 토론을 하고 있습니다. 토론의 내용을 소리 내어 읽어 봅시다.

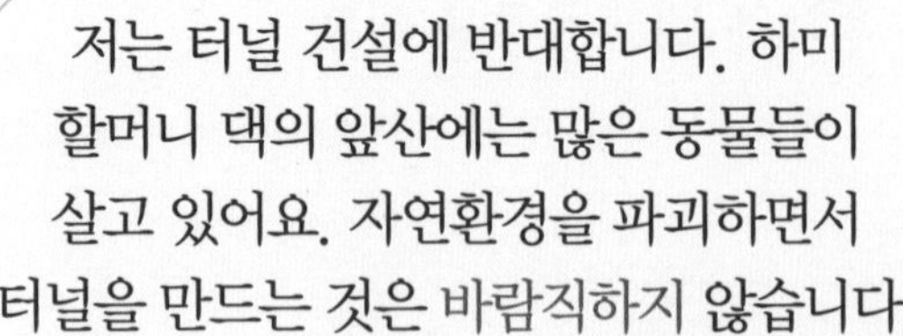

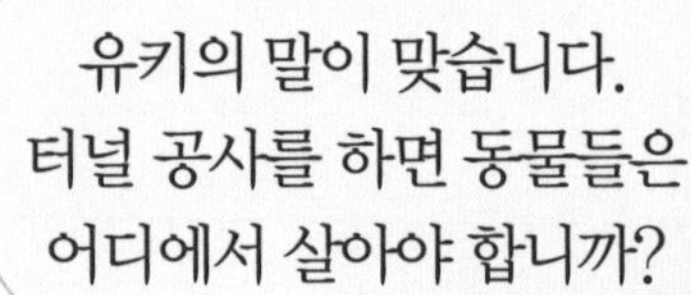

어려운 말이 있어요? 확인해 봐요.

바람직하지(바람직하다)

이렇게 사용해요

오딜의 수업 태도가 아주 바람직하구나.
친구에 대해 나쁜 말을 하는 것은 바람직하지 않아.

1) 모둠 친구들의 대화를 다시 한 번 읽으며 (   )에 들어갈 말을 찾아 써 보세요.

엠마	저는 터널 건설에 ( )합니다.
유키	저는 터널 건설에 ( )합니다.

2) 보기 와 같이 주제에 대한 자신의 의견을 써 보세요.

보기

주제: 학교에 휴대 전화를 가져와야 될까?

저는 학교에 휴대 전화를 가져오는 것에 반대합니다.

주제: 도서실에서 학습 만화를 읽어도 될까?

함께 해 봐요

1. '찬성! 반대!' 인터뷰 놀이 방법을 알아봅시다.

〈놀이 방법〉

① 모든 친구들이 문제 카드 1장, 의견 카드 1장을 가진다.
② 문제 카드를 들고 돌아다니면서 만나는 친구에게 자신이 가진 문제 카드의 내용을 읽어 준다.
③ 친구가 읽은 문제 카드에 어울리는 의견을 가지고 있으면 의견 카드 내용을 보기 와 같이 읽고 카드를 친구에게 준다.
④ 내가 가진 문제 카드의 찬성과 반대 의견을 모두 찾으면 승리한다.

2. '찬성! 반대!' 인터뷰 놀이를 해 봅시다.

보기

① 문제 카드: 도서실에서 학습 만화를 읽어도 될까?

② 의견 카드: 학습 만화라고 해도 만화책이므로 학교 도서실에서 읽는 것은 바람직하지 않다.

⇒ 저는 도서실에서 학습 만화를 읽는 것에 반대합니다.
학습 만화라 해도 만화책이므로 학교 도서실에서 읽는 것은 바람직하지 않습니다.

3. 내 문제 카드에 대한 찬성과 반대 의견을 써 봅시다.

문제	
찬성	
반대	

되돌아보기

1. 다음 빈칸에 들어갈 낱말을 아래에 써 봅시다.

1) 자연환경을 훼손하며 국토를 개발하는 것은 [ㅂ][ㄹ][ㅈ]하지 않아.

2) 생각이 서로 다른 문제를 해결하기 위해서는 [ㅌ][ㄹ]을 통해 의견을 따져 볼 수 있다.

3) 'g'과 'kg'은 무게를 재는 [ㄷ][ㅇ]입니다.

4) 저는 초등학생들이 휴대 전화를 사용하는 것에 [ㅂ][ㄷ]합니다.

5) 이 그림을 잘 살펴보면 커다란 [ㅁ][ㅈ][ㅈ]을 찾을 수 있어.

1)	2)
3)	4)
5)	

2. 다음 수학 교과서에 들어갈 문장을 붙임 딱지로 붙여 봅시다. 붙임 딱지

보경이가 부모님 생신 선물로 만들고 있는 보관함은 마지막 한 면만 한지를 붙이면 완성됩니다. 보경이에게 필요한 한지의 넓이는 얼마인지 구하시오.

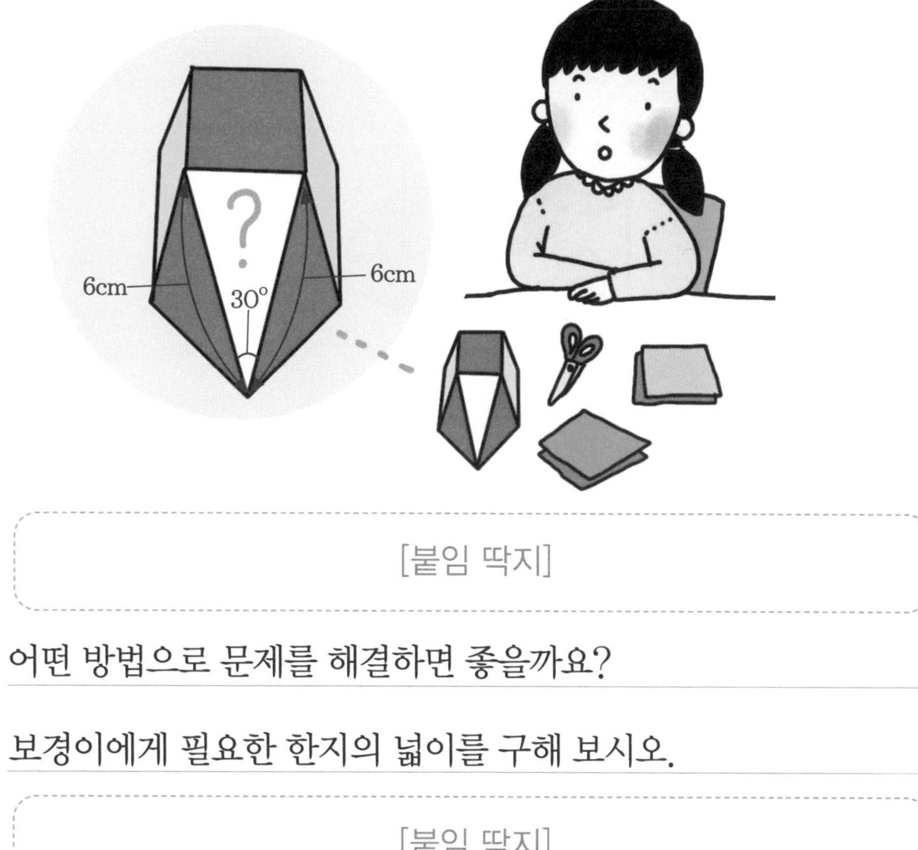

1) [붙임 딱지]

2) 어떤 방법으로 문제를 해결하면 좋을까요?

3) 보경이에게 필요한 한지의 넓이를 구해 보시오.

4) [붙임 딱지]

3. 다음 문제에 자신의 의견을 말해 봅시다.

학교에 자전거를
타고 와도 될까?

저는

단원 주제

1. 친구들의 작품을 평가하기
2. 수행 평가 과정 익히기

6

수행 평가

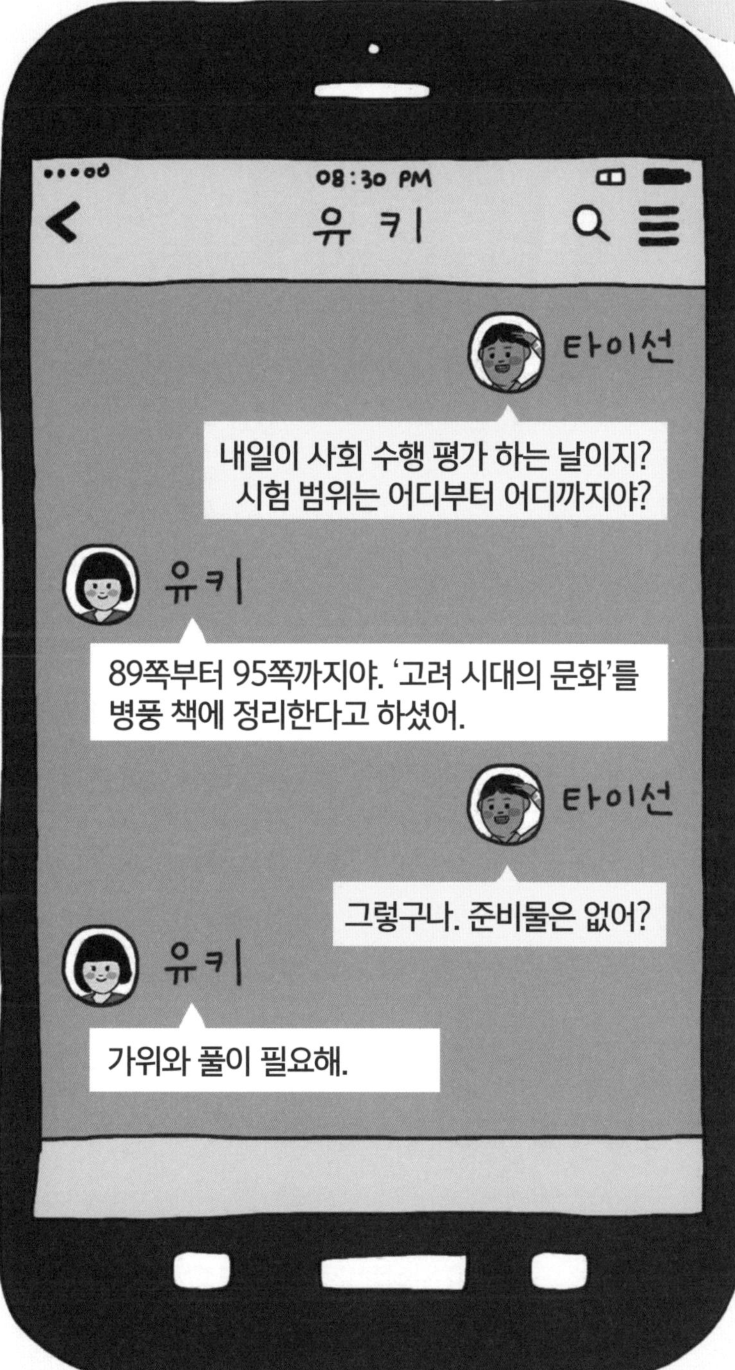
08:30 PM
유키
타이선
내일이 사회 수행 평가 하는 날이지? 시험 범위는 어디부터 어디까지야?
유키
89쪽부터 95쪽까지야. '고려 시대의 문화'를 병풍 책에 정리한다고 하셨어.
타이선
그렇구나. 준비물은 없어?
유키
가위와 풀이 필요해.

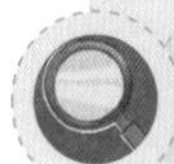

친구들의 작품을 평가하기

1. 친구들의 작품이 전시되어 있습니다. 타이선과 서영이의 대화를 소리 내어 읽어 봅시다.

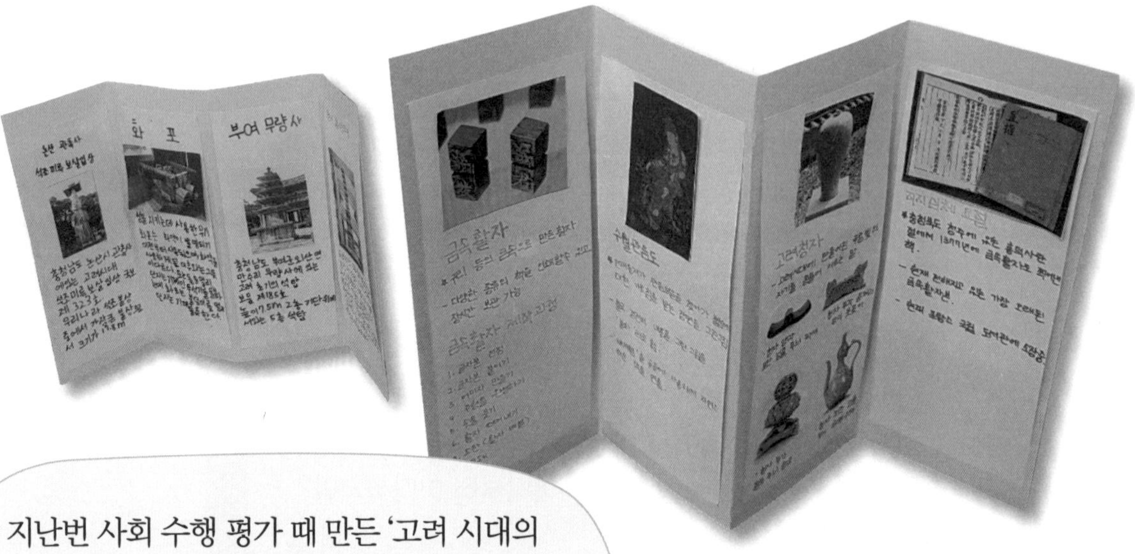

지난번 사회 수행 평가 때 만든 '고려 시대의 문화' 병풍 책을 선생님께서 전시해 주셨어. 둘러보고, 칭찬하고 싶은 책에 붙임 딱지를 붙여 주라고 하셨지?

응. 나는 엠마와 오딜의 책에 붙임 딱지를 붙였어. 엠마는 정말 열심히 만들었더라. 고려 시대의 문화를 자세히 정리했어. 그리고 오딜은 여러 가지 사진과 그림으로 보기 쉽게 책을 만들어서 칭찬하고 싶어.

어려운 말이 있어요? 확인해 봐요.

작품

이렇게 사용해요

작품을 완성했으면 가지고 나오세요.
여러 가지 미술 작품을 감상해 봅시다.

1) 타이선과 서영이는 친구들의 작품을 보고 어떤 방법으로 평가하고 있어요?

2) 서영이는 엠마와 오딜의 책을 칭찬했어요. 어떤 점을 칭찬했는지 찾아 써 보세요.

엠마	
오딜	

2. 타이선이 엠마가 만든 작품을 평가하고 있습니다. 잘 듣고 엠마가 잘한 점과 고칠 점을 찾아 써 봅시다. 2

잘한 점	
고칠 점	

수행 평가 과정 익히기

1. 다음 그림을 보고 수행 평가 전에 준비할 것을 알아봅시다.

교과	단원	성취 기준	평가 방법	평가 시기
과학	1. 날씨와 우리 생활	• 여러 가지 기상 현상이 생기는 과정을 설명하고 그 차이점을 설명할 수 있다.	지필 평가	9월 2주
	2. 산과 염기	• 산성 용액과 염기성 용액을 분류할 수 있다.	서술형 평가	10월 2주
	3. 물체의 빠르기	• 속력의 의미를 알고 물체의 속력을 구할 수 있다.	서술형 평가	11월 2주
	4. 우리 몸의 구조와 기능	• 인체 모형 책을 만들어 소화 기관의 종류, 위치, 생김새와 기능을 설명할 수 있다.	관찰 평가 상호 평가	12월 2주

1) 수행 평가 안내 가정 통신문에는 어떤 내용이 있어요?

2) 수행 평가를 본 경험이 있어요? 선생님과 함께 이야기해 보세요.

수행 평가

우리가 배운 내용을 잘할 수 있는지 확인하는 것을 수행 평가라고 해요. 수행 평가의 방법에는 스스로 평가하기, 친구와 상호 평가하기, 선생님께서 관찰 평가하기, 평가지(시험지) 풀기, 배운 내용 정리하여 책 만들기 등이 있어요.

3) 오딜이 엠마에게 메시지를 보내 수행 평가의 범위를 물어봐요. 아래 그림에서 수행 평가의 범위를 묻는 질문을 찾아 밑줄을 긋고, 소리 내어 읽어 보세요.

2. 수행 평가를 보는 날입니다. 선생님의 말씀을 소리 내어 읽어 봅시다.

오늘은 과학 수행 평가가 있습니다. 나누어 주는 인체 모형 그림을 이용하여 우리 몸의 구조와 기능을 정리하세요. 시간은 30분 주겠습니다. 그 전에 제출해도 좋습니다. 종이를 받으면 가장 먼저 번호와 이름을 쓰세요. 그리고 제출하기 전에 틀리거나 빠뜨린 부분은 없는지 꼭 점검하세요.

1) 평가 시간은 몇 분이에요?

2) 평가지를 받으면 가장 먼저 할 일이 무엇이에요?

3) 평가지를 제출하기 전에 무엇을 확인해야 해요?

3. 수행 평가를 볼 때에는 어떤 태도를 가져야 할까요? 다음 그림을 보며 생각해 봅시다.

평가에 집중하여 최선을 다해요.

친구와 장난치지 않아요.

어려운 말이 있어요? 확인해 봐요.

제출

이렇게 사용해요

방학 숙제를 제출하지 않은 사람 있어요?
다 한 사람은 앞으로 나와 시험지를 제출하세요.

점검

이렇게 사용해요

출발하기 전에 모두 모였는지 점검하겠습니다.
시험지를 내기 전에 번호와 이름을 썼는지 점검해야 해.

태도

이렇게 사용해요

민이는 친구들을 대하는 태도가 훌륭해.
오늘 수업 태도가 좋지 않아서 선생님께 혼이 났어요.

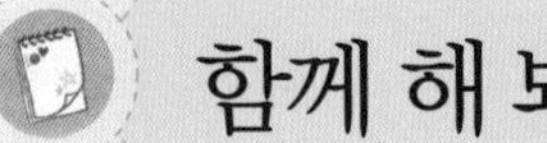

함께 해 봐요

1. 짝과 함께 여러 가지 미니북을 만들어 봅시다.

계단 책 만들기

〈만드는 방법〉

① 색깔이 다른 도화지를 3장 준비한다.

② 도화지를 손가락 한 마디 정도씩 보이도록 겹쳐 놓는다.

③ 겹쳐 놓은 상태에서 맨 위 종이를 다시 손가락 한 마디 정도 남도록 접는다.

④ 접은 부분을 스테이플러로 고정한다.

8면 미니북 만들기

① 도화지를 다음과 같이 8칸으로 접는다.

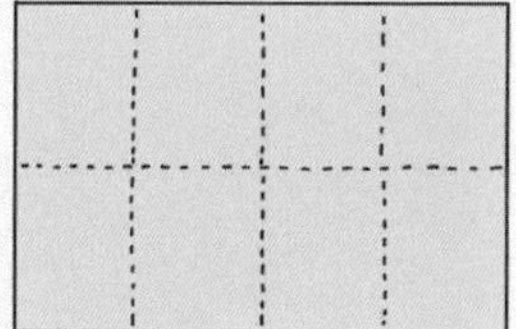

② 다시 반으로 접어 가운데 빨간 줄 부분을 가위로 잘라 준다.

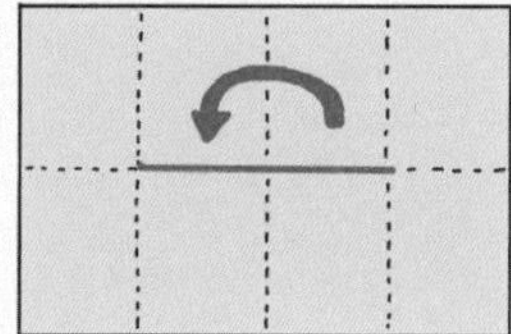

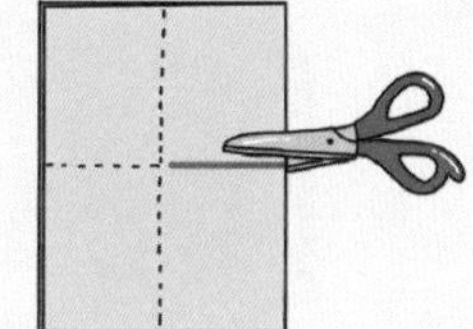

③ 잘린 부분이 열리게 다음과 같이 접는다.

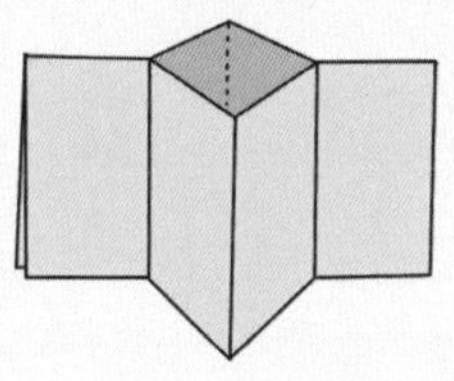

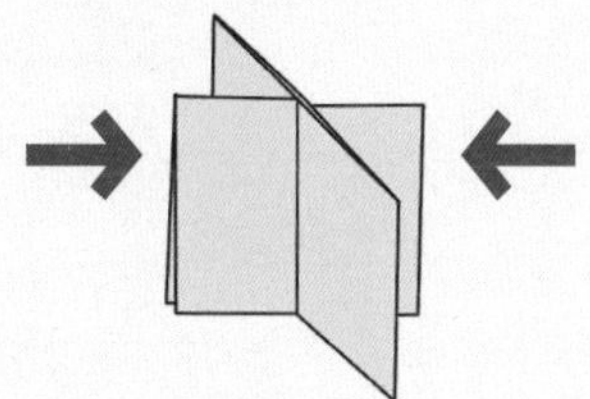

④ 책이 될 수 있게 한쪽으로 모아 주면 완성!

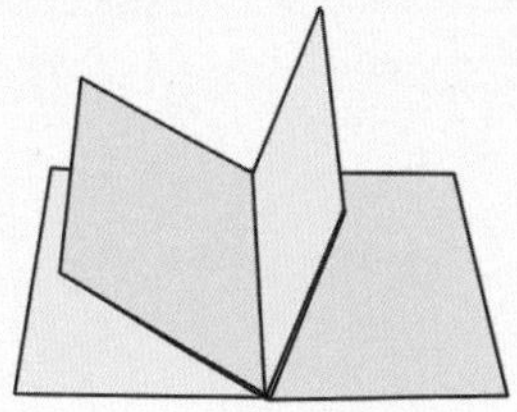

2. 만든 미니북에 이번 단원에서 배운 낱말들을 정리해 봅시다.

되돌아보기

1. 다음 글자들을 모아 낱말을 만들고 써 봅시다.

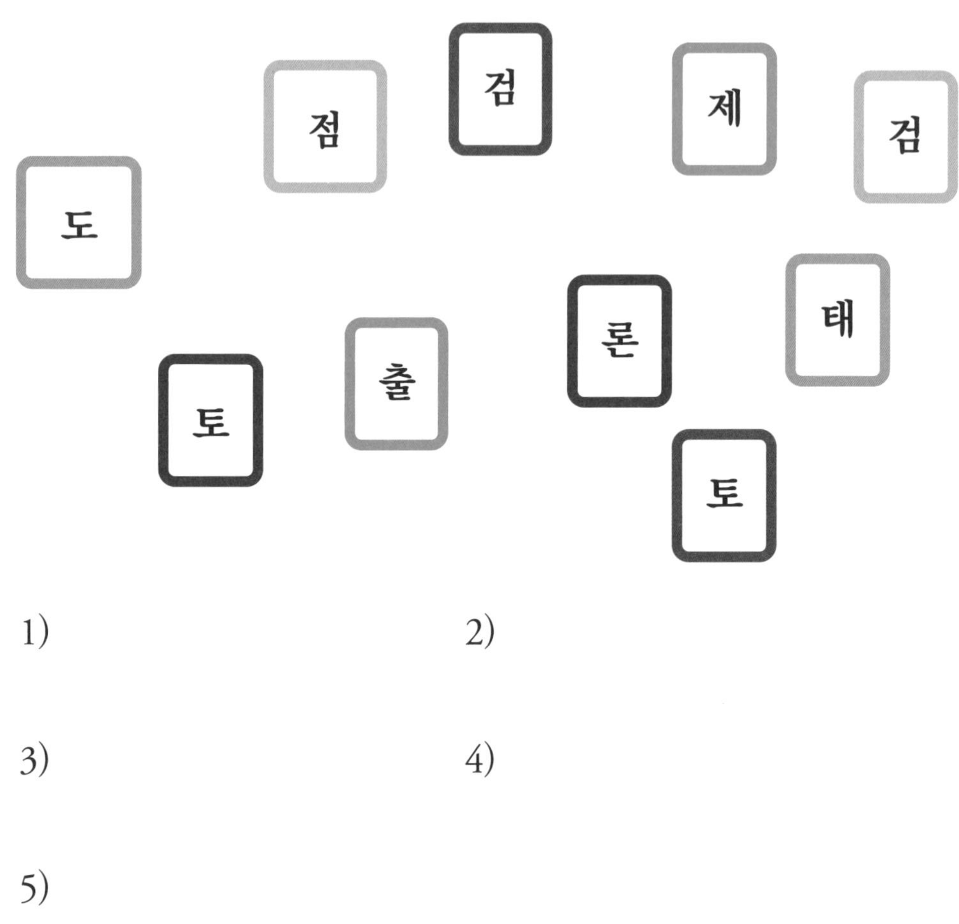

1)

2)

3)

4)

5)

2. 위의 낱말을 이용하여 짧은 문장 만들기를 해 봅시다.

3. 다음 그림을 보고 고쳐야 할 점을 이야기해 봅시다.

나래초등학교 5학년 1학기 수행 평가	**1. 약수와 배수**	번호: 이름:

1. 식을 보고 □ 안에 알맞은 수를 써 넣으시오.

35 = 1×35, 35 = 5×7

1) 35는 [1], [5], [7], [35] 의 배수입니다.
2) [1], [5], [7], [35] 는 35의 약수입니다.

2. 식을 보고 □ 안에 '배수'와 '약수'를 알맞게 써 넣으시오.

56 = 7×8

1) 56은 7과 8의 □ 입니다.
2) 7과 8은 56의 □ 입니다.

3. 두 수가 약수와 배수의 관계인 것을 모두 고르시오.(2, 4)

① (4, 24) ② (49, 7) ③ (8, 70)
④ (63, 9) ⑤ (11, 45)

4. 잘 공부했는지 스스로 평가해 봅시다.

		매우 잘함	잘함	보통
①	평가지에 번호와 이름을 잊지 않고 쓸 수 있어요?			
②	여러 가지 미니북을 만들 수 있어요?			
③	수행 평가와 관련 있는 낱말들을 읽고 쓸 수 있어요?			
④	친구의 작품을 보고 평가할 수 있어요?			

단원 주제

1. 이어질 내용 상상하기
2. 독서 기록장 쓰기

7

독서 기록장

어제 이 책을 읽었어.
톨스토이는 러시아를
대표하는 작가래.

그렇구나.
나도 커서 멋진
작가가 되고 싶어.

이어질 내용 상상하기

1. 다음 그림을 보고 이야기 내용을 순서대로 붙임 딱지를 이용해 붙여 봅시다. 붙임 딱지

[붙임 딱지]

[붙임 딱지]

[붙임 딱지]

[붙임 딱지]

2. 이어질 내용을 상상해 봅시다.

1) 다니엘이 다음에 이어질 내용을 상상하고 있어요. 다니엘이 상상한 내용을 들어 보세요. 3

어려운 말이 있어요? 확인해 봐요.

상상

이렇게 사용해요

내일은 과학 상상화 그리기를 하겠습니다.
우리가 상상하는 것들이 모두 이루어지면 좋겠다.

2) 그림을 보고 이어질 내용을 상상해 보세요.

독서 기록장 쓰기

1. 선생님과 함께 책을 읽어 봅시다.

2. 책을 읽고 다니엘의 모둠 친구들이 대화를 나누고 있습니다. 소리 내어 읽어 봅시다.

 **어려운 말이 있어요? 확인해 봐요.**

관점

이렇게 사용해요

우리는 이 책을 보는 관점이 다르구나.
오딜이 이 미술품을 새로운 관점에서 설명해 주었어.

재구성

이렇게 사용해요

이 글은 토끼의 관점에서 재구성한 내용이에요.
내용이 조금 지루해서 재미있게 재구성을 해 봤어.

3. 독서 기록장을 써 봅시다.

1) 유키는 《돼지책》의 제목을 바꾸어 보았어요. 그림을 살펴보세요.

2) 제목을 바꾸면 내용이 어떻게 변할까요? 상상해서 써 보세요.

꼬마 수업 독서 기록장

독서 기록장은 책을 읽고 나서 읽은 내용을 다양한 방법으로 정리하는 공책이에요. 독서 기록장을 쓰면 내가 읽은 책을 오래 기억할 수 있어요. 독서 기록장에는 읽은 책의 제목, 지은이, 읽은 날짜, 나의 생각이나 느낌 등을 쓰고, 다음과 같은 활동을 해요.

줄거리 쓰기, 주인공에게 편지 쓰기, 주인공이 되어 말하기, 삼행시 짓기, 이어질 내용 상상하기, 등장인물 바꾸어 쓰기, 책 표지 꾸미기 등

3) 다니엘은 《돼지책》의 배경을 바꾸어 보았어요. 《돼지책》의 배경이 학교라면 어떤 인물이 나올까요? 여러분도 창의적으로 생각해 보세요.

피곳 선생님은 5학년 2반 친구들과 매일매일 수업을 하며 지냈습니다. 수업이 끝나면 5학년 2반 친구들은 집으로 휑하니 가 버렸습니다. 친구들이 떠나고 나면 피곳 선생님은 칠판을 지우고, 책상을 정리하고, 바닥을 모두 청소했습니다. 그러고 나서 아이들의 일기를 검사하고, 선생님의 일을 했습니다. 5학년 2반 친구들은 다음 날 아침 학교에 와서 외쳤습니다. "선생님, 오늘 뭐 해요?"

어려운 말이 있어요? 확인해 봐요.

배경

이렇게 사용해요

이 영화의 배경은 조선 시대이다.
극본을 읽을 때에는 인물과 배경을 생각하며 읽어요.

창의적

이렇게 사용해요

유키의 생각이 아주 창의적이에요.
몸을 이용해 꽃 피는 모습을 창의적으로 표현해 보세요.

함께 해 봐요

1. '이야기 만들기' 놀이를 해 봅시다. 부록

〈놀이 방법〉

① 그림 카드 12장을 펼쳐 놓는다.

② 가위바위보로 순서를 정하고 '이야기 시작'을 함께 읽는다.

③ 이긴 사람부터 원하는 카드를 한 장 뽑으며 이야기를 이어 간다.

④ 다음 사람도 원하는 카드를 한 장 뽑으며 앞사람에 이어 이야기를 꾸민다.

⑤ 마지막 사람은 반드시 이야기를 끝내야 한다.

이야기 시작

옛날 어느 마을에 동물 친구들이 살고 있었어요. 깡충깡충 뛰어가던 토끼가 느릿느릿 기어가는 거북이를 보고 말했어요.

"거북이야, 넌 정말 느리구나."

거북이가 대답했어요.

2. 내가 뽑은 카드로 문장을 만들고 써 봅시다.

내가 뽑은 카드	만든 문장

되돌아보기

1. 아래 글자판에서 **보기** 의 낱말을 찾아봅시다.

보기

창의적 배경 관점 재구성
상상 바꾸다 순서

과	르	히	금	조	순	관	상
피	상	상	물	자	창	정	점
가	구	경	칠	칭	의	임	확
배	들	평	재	답	적	다	당
방	경	간	순	서	차	포	골
기	자	차	찬	재	바	간	물
해	재	구	성	점	기	꾸	정
법	요	구	찬	어	조	힘	다

2. 찾은 낱말을 이용하여 짧은 문장을 만들어 봅시다.

3. 이번 달에 재미있게 읽은 책이 있어요? 아래에 내용을 써 봅시다.

제목	
지은이	
느낀 점	

4. 보기 에서 하고 싶은 활동을 선택해 ○표 하고 독서 기록장을 써 봅시다.

보기

책 속의 주인공에게 편지 쓰기　　제목 바꾸기
주인공이 되어 말하기　　이야기의 배경 바꾸어 쓰기

단원 주제

1. 기준을 세워 분류하기
2. 분류의 방법으로 설명하기

8

여러 가지 가지런히

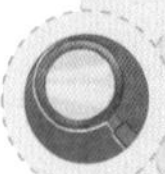

기준을 세워 분류하기

1. 여러 가지 용액을 분류하고 있습니다. 어떤 기준에 따라 나누었는지 생각하며 그림을 살펴봅시다.

나는 색깔에 따라 분류했어. 레몬즙과 식초, 빨랫비누 물은 색깔이 있고, 사이다와 묽은 염산은 색깔이 없어.

나는 '투명한가'를 기준으로 나누었어.
____
______________.

1) 장위와 준서가 세운 분류 기준이 무엇이에요?

	장위	준서
분류 기준		

2) 준서는 어떻게 용액을 분류했어요? 밑줄 그은 곳에 들어갈 말을 생각해 써 보세요.

어려운 말이 있어요? 확인해 봐요.

분류

이렇게 사용해요

동물을 사는 곳에 따라 분류했어요.
책을 종류에 따라 분류해서 정리하세요.

기준

이렇게 사용해요

'날개가 있는가'를 기준으로 분류해요.
장위를 기준으로 양팔 간격으로 줄을 서 보자.

2. 기준을 세워 동물을 분류해 봅시다.

보기

사자 호랑이 닭 코끼리 사슴 독수리

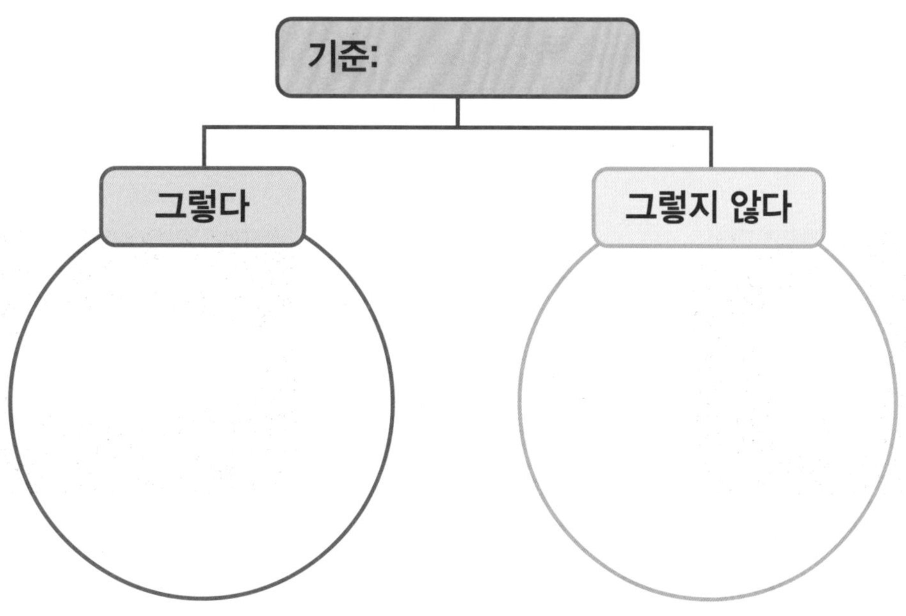

분류의 방법으로 설명하기

1. 박물관의 안내문을 읽고 물음에 답해 봅시다.

선사 시대의 유물

선사 시대는 인류가 시작되면서 문자가 만들어지기 전까지의 시대를 말합니다. 선사 시대는 그 시기에 따라 구석기 시대, 신석기 시대, 청동기 시대로 나눌 수 있습니다.

구석기 시대에는 나무나 동물의 뼈를 사용하기도 했지만 주로 돌을 도구로 사용했습니다. 돌을 있는 그대로 사용하거나 단순하게 깨뜨리고 떼어 내서 사용했는데 이를 뗀석기라고 합니다. 주먹 도끼, 긁개, 찍개 등이 있습니다.

신석기 시대에는 돌을 그대로 사용하는 대신 갈아서 사용했습니다. 이렇게 돌을 갈아서 만든 도구를 간석기라고 합니다. 갈돌, 갈판, 빗살무늬 토기 등의 유물이 있습니다.

청동기 시대부터는 돌 이외에도 청동을 도구로 사용했습니다. 청동은 아무나 사용할 수 없고 강력한 힘을 가진 사람들이 사용했습니다. 청동 검, 청동 거울, 반달 돌칼 등의 유물이 있습니다.

주먹 도끼

빗살무늬 토기

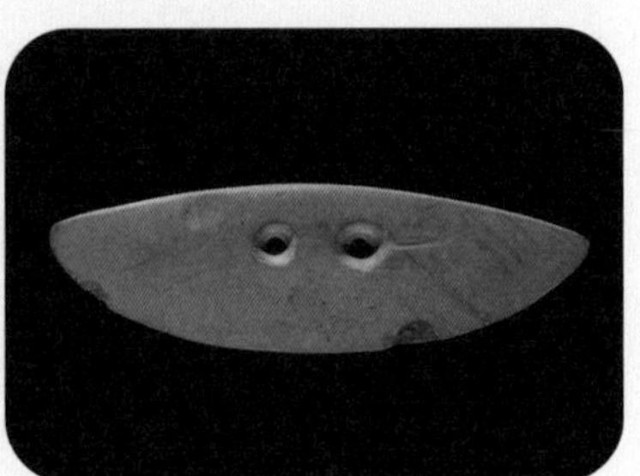

반달 돌칼

1) 무엇에 대하여 설명하고 있어요?

2) 선사 시대를 시기에 따라 어떻게 나눌 수 있어요?

3) 내용을 분류하여 아래의 틀에 정리해 보세요. 붙임 딱지

분류

일정한 기준을 정한 뒤에 그 기준에 따라 같은 것끼리 묶는 것을 분류라고 해요. 분류의 방법으로 설명하면 여러 가지를 종류별로 정리하여 이해하기 쉬워요.

꼬마 수업 **선사 시대와 역사 시대**

인류가 시작되면서 문자가 만들어지기 전까지의 시대를 선사 시대라고 해요. 문자가 만들어지기 전이기 때문에 남겨진 물건(유물)이나 흔적(유적)으로 선사 시대의 생활 모습을 알 수 있어요. 문자가 만들어진 이후의 시대는 역사 시대라고 해요. 이때부터는 책이나 기록물을 통해 과거의 모습을 알 수 있어요.

어려운 말이 있어요? 확인해 봐요.

도구

이렇게 사용해요

운동회 때 쓸 응원 도구를 만들자.
청소를 할 때에는 여러 가지 청소 도구를 사용해요.

나눌(나누다)

이렇게 사용해요

동물을 사는 곳에 따라 나누어 볼까요?
민요는 지역에 따라 경기 민요, 남도 민요, 서도 민요, 동부 민요, 제주 민요로 나눌 수 있어요.

묶는(묶다)

이렇게 사용해요

하늘에 사는 동물끼리 묶어 보세요.
같은 모양끼리 묶고, 발표해 보세요.

2. 다음 내용을 참고하여 설명하는 글을 써 봅시다.

악기의 종류

소리 내는 방법에 따라

타악기	현악기	관악기
두드리거나 때려서 소리 내는 악기 예) 장구, 큰북	줄을 사용하여 소리 내는 악기 예) 가야금, 바이올린	입으로 불어서 소리 내는 악기 예) 단소, 리코더

함께 해 봐요

1. '분류 판을 채워라' 놀이를 해 봅시다.

2. '분류 판을 채워라' 놀이를 하며 내가 말한 문장을 3가지 적어 봅시다.

되돌아보기

1. 다음 중 어울리는 것끼리 연결하고, 따라 써 봅시다.

2. 유키와 다니엘의 대화를 읽고 밑줄 그은 낱말을 바르게 고쳐 써 봅시다.

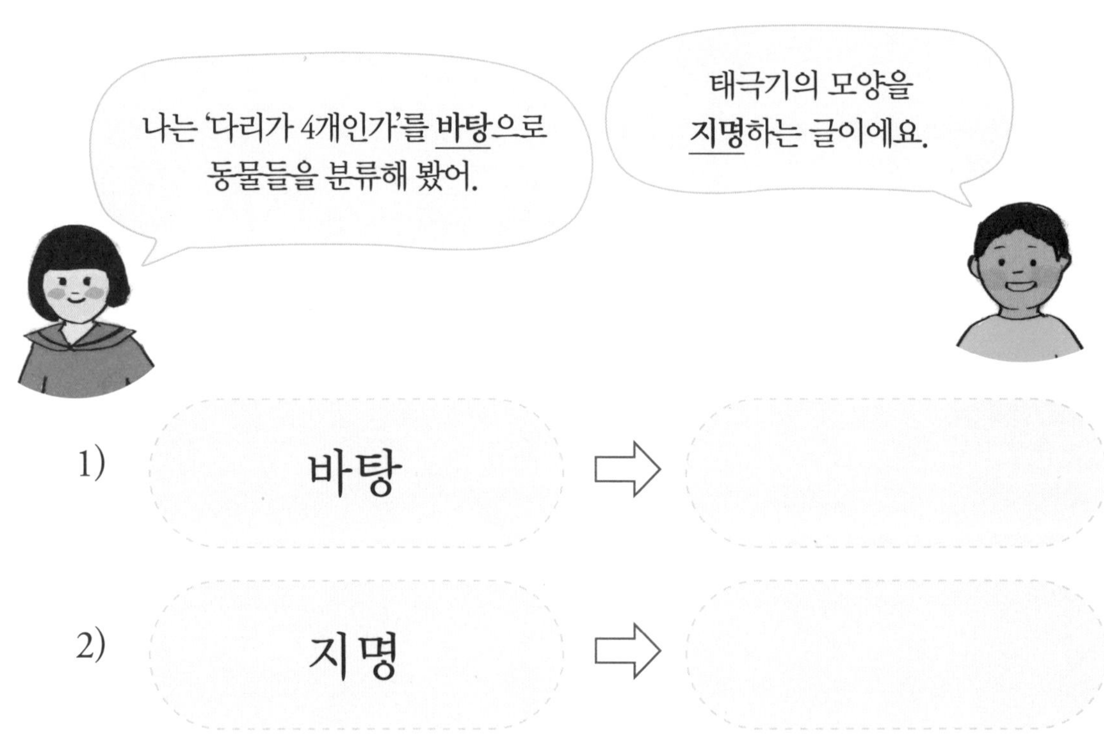

1) 바탕 ⇨

2) 지명 ⇨

3. 동물들을 여러 가지 기준으로 분류해 봅시다.

토끼	독수리	코끼리
사자	참새	닭

나는 '사는 곳'에 따라 분류했어.
넌 어떤 기준으로 분류했어?

나는 '날개가 있는가'를
기준으로 분류했어.

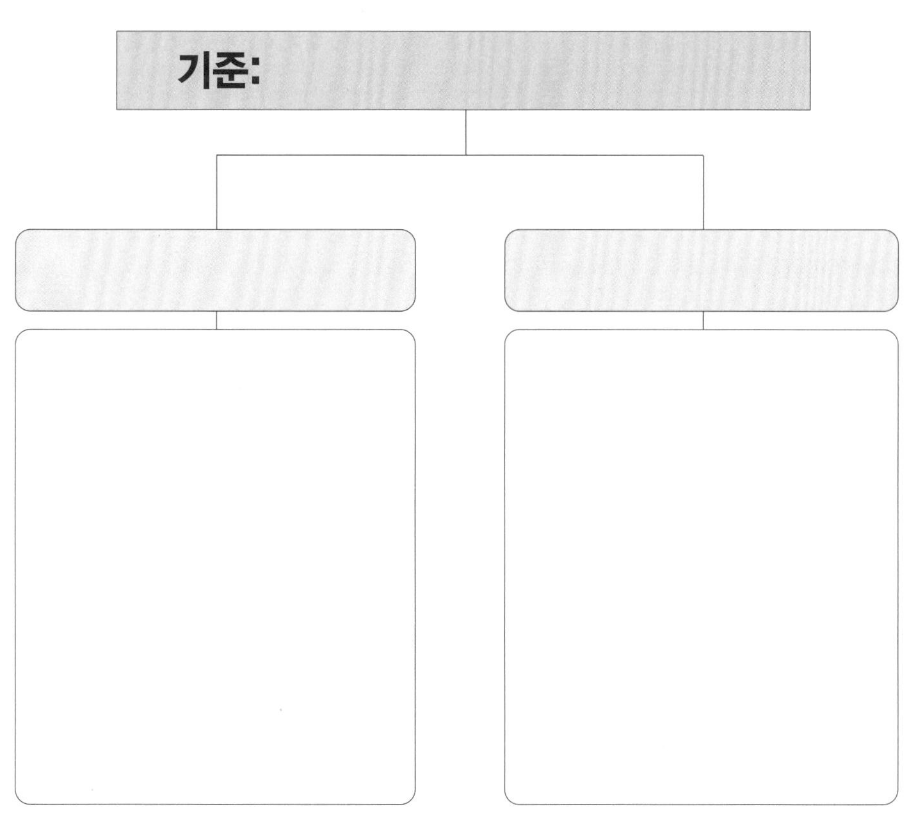

단원 주제

1. 관찰한 것을 말로 표현하기
2. 관찰 보고서 쓰기

9

관찰 보고서

우리 주변의 사물이나 현상을 자세히 살펴보면 그동안 몰랐던 것을 알아낼 수 있어요. 이것을 잘 정리해서 기록한 것이 관찰 보고서예요.

관찰 보고서를 써 보고 수업 시간에 발표도 해 봐요.

관찰 보고서

관찰 대상:

관찰 장소:

관찰한 사람:

관찰한 내용:

관찰한 것을 말로 표현하기

1. 도구를 이용해서 관찰하고 설명하는 모습을 살펴봅시다.

양파 껍질 세포

 **어려운 말이 있어요? 확인해 봐요.**

표면

이렇게 사용해요

수박의 표면은 매끌매끌해.
지구 표면에는 산과 강, 바다, 들판 같은 것들이 있습니다.

확대

이렇게 사용해요

모니터에 확대한 글씨가 나타났다.
돋보기를 이용해 개미를 확대하여 살펴보았다.

꼬마 수업 **현미경**

현미경은 맨눈으로 볼 수 없는 것을 크게 확대해서 보여 주는 도구예요. 현미경에는 렌즈가 들어 있어서 사물을 자세히 살펴볼 수 있어요.

1) 오딜이 무엇을 하고 있는지 말해 보세요.

2) 오딜의 말을 실제 수업 시간에 발표하는 것처럼 말해 보세요.

관찰 보고서 쓰기

1. 다음 그림을 살펴보고 관찰하는 과정을 알아봅시다.

1) 관찰할 대상을 정한다.

2) 관찰할 대상을 살펴보며 관찰을 실행한다.

3) 관찰 보고서를 작성한다.

어려운 말이 있어요? 확인해 봐요.

대상

이렇게 사용해요

우리는 항상 선생님의 관심 대상입니다.
이 동화책은 초등학교 고학년 어린이를 대상으로 합니다.

작성

이렇게 사용해요

나는 우리 반 학생들의 달리기 기록표를 작성했다.
내가 작성한 관찰 보고서를 선생님께서 자세히 살펴보셨다.

관찰 보고서

관찰한 것을 정리한 글을 관찰 보고서라고 해요. 관찰 보고서에는 관찰 대상, 관찰 기간, 관찰 시간, 관찰 장소, 관찰한 사람, 관찰 내용 등을 쓸 수 있어요.

2. 다니엘이 여러 날 동안 달을 관찰하고 있습니다. 보기 와 같이 달의 모양을 나타내는 낱말을 써 넣어 봅시다.

관찰 1일

보기

달의 모양이 (눈썹 모양)입니다.

관찰 6일

달의 모양이 (   )입니다.

관찰 12일

달의 모양이 (   )입니다.

3. 다니엘이 여러 날 동안 달의 모습을 관찰한 후 작성한 관찰 보고서를 읽어 봅시다.

달 관찰 보고서

관찰 대상: 밤하늘의 달

관찰 기간: 20○○년 ○○월 ○○일~ 20○○년 ○○월 ○○일/12일간

관찰 시간: 밤 9시경 관찰 장소: 우리 집 앞마당 관찰한 사람: 다니엘

관찰한 내용: 여러 날 동안 달의 모양을 관찰했습니다. 관찰 1일째 달은 눈썹 모양이었습니다. 관찰 6일째 달은 반달 모양이었습니다. 관찰 12일째 달은 보름달 모양이었습니다. 달의 모양을 여러 날 동안 특정한 시간에 관찰하니 달이 점점 커지는 것을 알 수 있었습니다.

느낀 점: 여러 날 동안 달을 관찰하는 것은 하루 동안 달의 위치 변화를 알아보는 것보다 더 어려운 일이었습니다. 하지만 달을 매일 보면서 달의 모양 변화를 관찰하다 보니 달에 직접 가서 탐색해 보고 싶은 마음까지 생겼습니다.

어려운 말이 있어요? 확인해 봐요.

변화

이렇게 사용해요

자연환경이 변화하면 생태계도 바뀐다.
방학을 마치고 오니 교실에 변화가 있었다.

탐색

이렇게 사용해요

과학 기술이 발달해서 우주 탐색도 가능해졌어.
인터넷으로 정보를 탐색하면 알고 싶은 것을 쉽게 찾을 수 있습니다.

4. 리암과 엠마가 학교 화단에서 솔방울과 개미를 관찰하고 있습니다. 그림을 잘 살펴보고 리암과 엠마 대신 관찰 보고서를 완성해 봅시다.

솔방울 관찰 보고서

관찰 대상:

관찰 장소:

관찰한 사람: 리암

관찰한 내용: 솔방울은 나무 껍질 조각 같은 것이 겹겹이 붙어 있는 모양이다.

개미 관찰 보고서

관찰 대상: 개미

관찰 장소: 학교 화단

관찰한 사람:

관찰한 내용:

함께 해 봐요

1. '같은 동작 만들기' 놀이를 해 봅시다.

다른 사람이 하는 동작을 보고 따라하면
안 됩니다. 빈센트가 설명하는 말에 집중하세요.
다른 사람을 따라하면 동작이나 몸짓이 설명과
다를 수 있어요. 그럼 잠시 후 선생님이
동작 사진을 공개하겠습니다. 하나, 둘, 셋!

2. '같은 동작 만들기' 놀이에서 들은 설명 중 가장 기억에 남는 표현을 써 봅시다.

되돌아보기

1. 아래는 이번 단원에서 배운 낱말들입니다. 내가 아는 낱말에 ○표 해 봅시다.

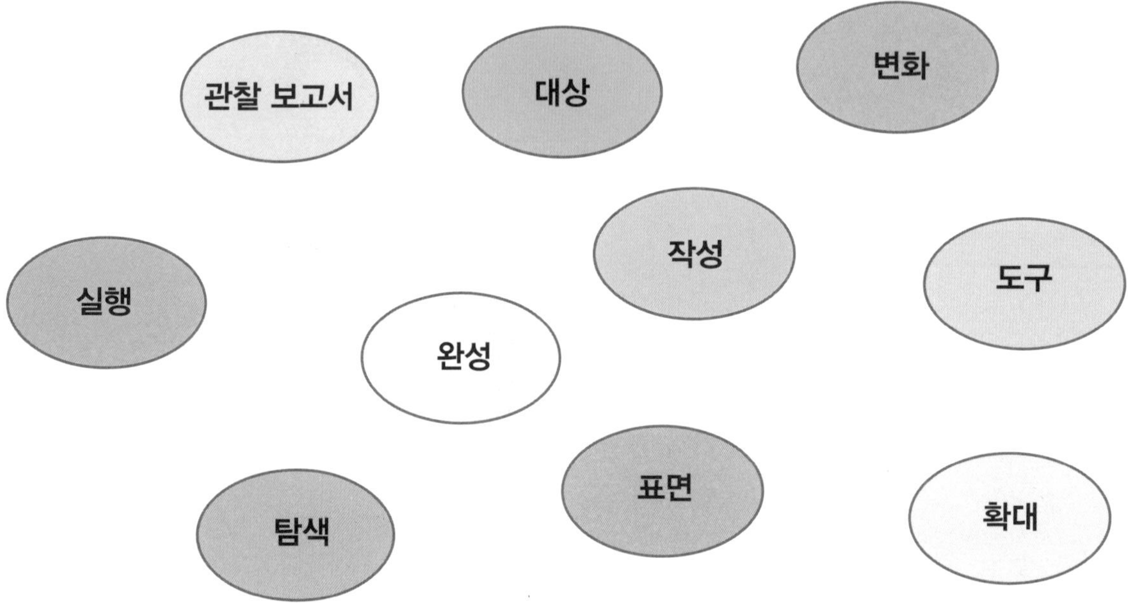

2. 위의 낱말 중 중요하다고 생각하는 말 9개를 골라 선생님과 함께 빙고 놀이를 해 봅시다.

3. 다음 **보기** 에서 하나를 골라 관찰 보고서를 써 봅시다.

보기

교실에서 기르는 식물　　친구의 모습　　선생님의 얼굴

(　　　　　　　　　　) 관찰 보고서

관찰 일시:

관찰 장소:

관찰 대상:

관찰 내용:

4. 두 그림에서 서로 다른 부분을 찾아보고 어떻게 다른지 발표해 봅시다.

그림 ①

그림 ②

단원 주제

1. 짐작한 내용 쓰기
2. 예상한 것을 설명하기

10

예상할 수 있는 일

엄마! 추운 지역에 사는 사람들은 스키나 썰매를 잘 타는 것 같아요.

그렇지. 환경이 겨울 운동을 하기에 좋으니까 말이야.

그럼 더운 지역에 사는 사람들은 어떤 운동을 잘할까요?

짐작한 내용 쓰기

1. 다음 그림을 살펴보고 무엇을 나타내는지 이야기해 봅시다.

2. 오딜, 엠마, 유키가 위의 그림을 살펴보고 더운 지역에 사는 사람들의 생활 모습을 짐작하여 말한 것을 소리 내어 읽어 봅시다.

3. 오딜, 엠마, 유키가 말한 것을 참고하여 더운 기후 지역에 사는 사람들의 생활 모습을 짐작하는 글을 써 봅시다.

더운 기후 지역에 사는 사람들의 생활 모습

더운 기후 지역에 사는 사람들은 어떻게 살지 예상해 보았다. 그곳에 사는 사람들의 생활 모습을 의생활, 식생활, 주생활로 나누어 살펴보았다.

첫째, 더운 지역에 사는 사람들의 옷차림을 보면 ______________________

____

둘째, 더운 지역에 사는 사람들의 음식을 보면 ______________________

____

셋째, 더운 지역에 사는 사람들의 집을 보면 ______________________

____

어려운 말이 있어요? 확인해 봐요.

참고

이렇게 사용해요

참고 자료를 찾아서 보고서에 붙였다.
선생님께서 보여 주신 그림을 참고하였다.

꼬마 수업 **기후**

기후란 어떤 지역에서 여러 해에 걸쳐 나타나는 평균적인 날씨를 말해요. 열대 기후, 온대 기후, 냉대 기후, 한대 기후가 있어요.

예상한 것을 설명하기

1. 다음 글을 읽고 질문에 답해 봅시다.

산성과 염기성

리트머스 종이는 어떤 용액(물질이 녹아 있는 액체)이 산성인지 염기성인지 구별할 때 사용하는 지시약이다. 리트머스 종이는 붉은색과 푸른색이 있다. 붉은색 리트머스 종이에 어떤 용액을 떨어뜨린 후 그 색이 푸르게 변하면 그 용액을 염기성 용액이라고 한다. 그리고 푸른색 리트머스 종이에 어떤 용액을 떨어뜨린 후 그 색이 붉게 변하면 그 용액을 산성 용액이라고 한다.

염기성 용액에는 비눗물, 세정제, 석회수, 묽은 수산화 나트륨 용액 등이 있고 산성 용액에는 식초, 레몬즙, 사이다, 묽은 염산 등이 있다.

꼬마 수업 **지시약**

용액의 성질을 알아내고자 할 때 쓰는 물질이에요. 용액의 성질에 따라 눈에 띄는 변화가 나타나요. 리트머스 종이나 페놀프탈레인 용액 같은 것이 지시약이에요.

1) 푸른색 리트머스 종이에 스포이트로 식초를 떨어뜨리면 어떤 색으로 변할지 예상해서 맞는 내용에 ○표 하고 말로 설명해 보세요.

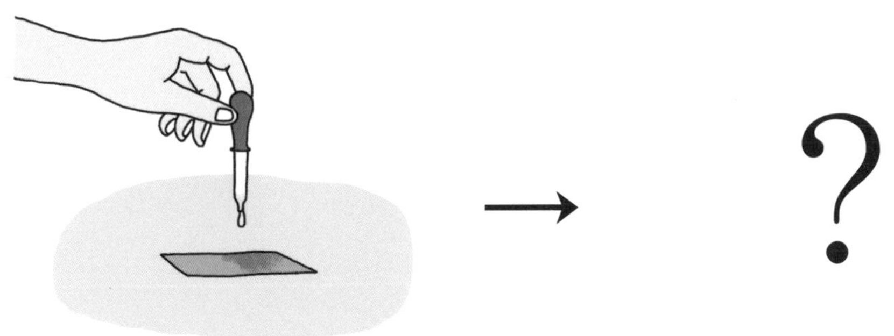

식초를 푸른색 리트머스 종이에 떨어뜨리면 그 색깔이 (붉은색, 푸른색)으로 변할 것 같습니다. 왜냐하면 식초는 (염기성, 산성) 용액이기 때문입니다.

2) 어떤 용액을 붉은색 리트머스 종이에 떨어뜨렸더니 종이가 푸른색으로 변했어요. 이 용액의 성질이 산성인지 염기성인지 설명해 보세요.

이 용액은 (   ) 용액일 것 같습니다. 왜냐하면 붉은색 리트머스 종이가 (   )으로 변했기 때문입니다.

어려운 말이 있어요? 확인해 봐요.

예상

이렇게 사용해요

축구 대표 팀의 경기 결과를 예상해 보세요.
하늘을 보면 비가 올지 안 올지 예상할 수 있어요.

2. 다음의 대화를 살펴보고 물음에 답해 봅시다.

1) 여름과 가을의 낮 길이를 비교해서 생각해 보고 맞는 설명에 ○표 해 보세요.

여름의 낮 길이가 가을의 낮 길이보다 (길 것 같습니다, 짧을 것 같습니다).

2) 앞의 그림에서 다니엘은 겨울의 낮 길이에 대해 어떻게 말했을지 예상해 보고 말로 설명해 보세요.

겨울의 낮 길이는 여름이나 가을의 낮 길이보다 (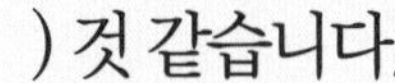) 것 같습니다.

어려운 말이 있어요? 확인해 봐요.

결과

이렇게 사용해요 이번 시험에는 좋은 결과가 있을 것 같아요.
조사 결과를 살펴보니 환경 오염이 심각해 보입니다.

평균

이렇게 사용해요 우리 반 친구들의 키는 평균 155센티미터입니다.
이번 5단원 수학 시험에서 우리 반 평균 점수는 83점입니다.

예상하기

예상은 앞으로의 일을 미리 생각해 보는 거예요. 그런데 예상을 잘 하려면 이전에 있었던 일이나 미리 제시된 상황을 잘 살펴보고 이를 바탕으로 예상해야 해요. 일기 예보를 듣고 날씨를 예상해 볼 수 있고, 이전 경기의 결과를 보고 어느 팀이 이길지 예상해 볼 수도 있어요.

함께 해 봐요

1. 탐정 놀이를 해 봅시다.

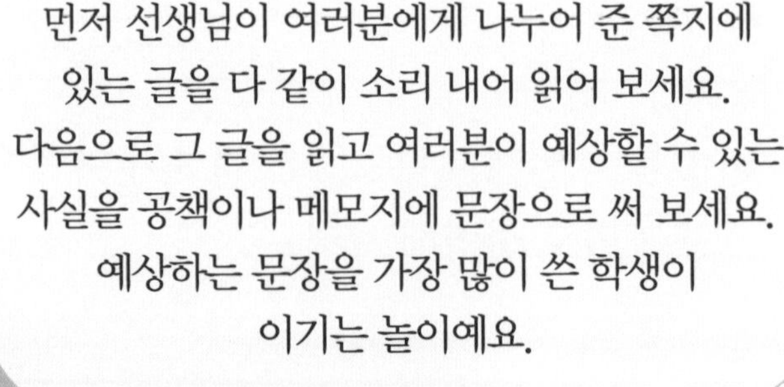

예상한 것을 한 번씩 돌아가며 말하고 나면
또다시 한 번씩 돌아가며 말합니다.
모둠에서 마지막까지 말할 것이 있는 친구가
모둠의 최고 탐정입니다.

2. 쪽지의 글을 읽고 예상한 것을 써 봅시다.

되돌아보기

1. 설명과 관련 있는 낱말을 보기 에서 골라 (　　) 안에 써 봅시다.

보기

의생활　　식생활　　주생활　　기후　　환경

1) 사람들의 먹는 것에 관한 여러 생활 (　　　　)

2) 사람들의 입는 것에 관한 여러 생활 (　　　　)

3) 사람들의 사는 곳에 관한 여러 생활 (　　　　)

4) 인간이나 동식물이 살아가는 데 영향을 주는 조건 (　　　　)

5) 어떤 지역의 평균적인 날씨 (　　　　)

2. (　　) 안에 알맞은 낱말을 보기 에서 골라 써 봅시다.

보기

결과　　이용　　참고　　평균

1) 보고서에 (ㅊ ㄱ) 자료도 함께 기록했다.

2) 이번 단원 평가의 (ㄱ ㄱ)를 알려 주겠습니다.

3) 우리 반 친구들 키의 (ㅍ ㄱ)은 151센티미터입니다.

4) 버리는 상자를 (ㅇ ㅇ)해서 미술 작품을 만들 수 있습니다.

3. 다음은 추운 지역의 기후와 환경을 나타낸 그림입니다. 추운 지역에 사는 사람들의 생활 모습을 예상해서 글로 써 봅시다.

추운 기후 지역에 사는 사람들의 생활 모습

추운 기후의 지역에 사는 사람들은 ______________________

____

먼저 추운 지역에 사는 사람들의 옷차림을 생각해 보면 __________

____

다음으로 추운 지역에 사는 사람들의 음식을 생각해 보면 __________

____

끝으로 추운 지역에 사는 사람들의 집을 생각해 보면 __________

____

단원 주제

1. 내용을 요약하여 설명하기
2. 중요한 내용을 찾아 기록하기

11

요약과 기록

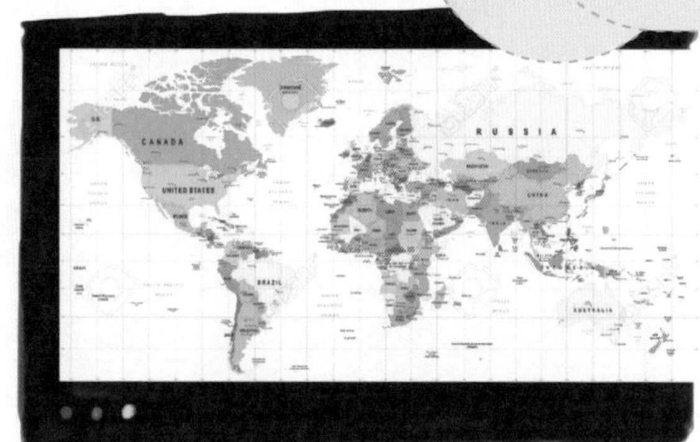

한국에는 설과 추석이라는 명절이 있어. 네가 살았던 나라 독일에는 어떤 명절이 있니?
응, 독일에서는 부활절과 크리스마스를 한국의 명절처럼 즐겁게 보내.

내용을 요약하여 설명하기

1. 중국과 베트남의 명절에 대한 글을 소리 내어 읽어 봅시다.

중국의 중추절

중국의 중추절은 음력 8월 15일이다. 한국에 추석이 있다면 중국에는 중추절이 있다. 춘절, 청명절, 단오절과 함께 중국의 4대 명절 중 하나라고 한다. 우리의 추석에 해당한다. 중추절이란 가을의 중간에 있다는 뜻이라고 한다. 중추절에는 달맞이를 간다. 달을 보고 소원도 빌고 향을 피우고 제사도 지낸다. 중추절에 먹는 대표적인 음식은 월병이다. 월병은 달 모양의 떡을 말한다.

베트남의 뗏

베트남의 뗏은 음력 1월 1일이다. 한국의 설날과 같은 날로 베트남의 대표적인 명절이다. 이날은 친척과 이웃을 방문해 서로 좋은 말을 나누고 아이들에게 용돈도 준다. 사람들은 뗏 하루 전날 대청소를 하고 새해를 맞는다. 이날은 제사도 지낸다. 또 '반뗏'이라는 떡도 먹는다. 반뗏은 밥 사이에 바나나를 넣고 바나나 잎으로 겉을 싼 음식이다.

월병

반뗏

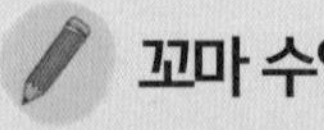

꼬마 수업 **양력과 음력**

우리가 보통 쓰는 날짜는 양력이고, 달력에 보면 작은 글씨로 되어 있는 날짜가 음력이에요.

2. 앞의 글 '중국의 중추절'을 요약하여 쓴 글을 살펴보고 '베트남의 뗏'을 요약하여 써 봅시다.

중국의 중추절

- 중추절의 시기: 음력 8월 15일
- 중국의 다른 명절: 춘절, 청명절, 단오절
- 중추절의 뜻: 가을의 중간에 있음
- 중추절에 하는 일: 달맞이, 제사 지내기
- 중추절에 먹는 대표적인 음식: 월병(달을 닮은 떡)

베트남의 뗏

- 뗏의 시기:
- 뗏에 하는 일:
- 뗏에 먹는 음식:

3. 앞에서 요약한 글을 참고하여 친구들 앞에서 '중국의 중추절'과 '베트남의 뗏'에 대해 말로 설명해 봅시다.

요약

요약은 긴 글을 짧게 줄여서 내용을 간추리는 것이에요. 요약을 할 때는 글에서 중요한 부분을 중심으로 간추려야 해요.

중요한 내용을 찾아 기록하기

1. 중요한 부분에 밑줄을 그으며 다음 글을 읽어 봅시다.

[미래 인터넷 과학 사전]

세균의 특징

세균은 하나의 세포로 되어 있어 동물이나 식물보다 훨씬 단순한 구조이다. 크기도 맨눈으로 볼 수 없을 정도로 작아서 현미경을 사용해야 세균의 모습을 정확하게 볼 수 있다. 세균의 모양은 공 모양, 원통 모양, 사슬 모양 등 다양한 형태가 있다. 세균은 매우 작지만 우리 주변 어디에나 있고 우리 몸에도 살고 있다. 그리고 일반 생물들이 살아가기 힘든 환경에서도 살 수 있으며, 세균이 자라는 데 알맞은 온도나 환경이 되면 짧은 시간이라도 아주 많이 늘어날 수 있다. 세균은 사람들에게 해로운 것도 있지만 도움을 주는 것도 있다.

어려운 말이 있어요? 확인해 봐요.

단순

이렇게 사용해요

단순한 반복 계산은 지루하다.
수학 시험에서 1번 문제는 단순했다.

구조

이렇게 사용해요

시계의 구조는 매우 복잡하다.
식물의 구조를 살펴보면 뿌리, 줄기, 잎 등으로 되어 있다.

2. 지민이가 인터넷에서 검색한 '세균의 특징'을 출력해서 중요한 내용을 찾아 밑줄을 그은 것을 살펴봅시다.

세균의 특징

세균은 하나의 세포로 되어 있어 동물이나 식물보다 훨씬 단순한 구조이다. 크기도 맨눈으로 볼 수 없을 정도로 작아서 현미경을 사용해야 세균의 모습을 정확하게 볼 수 있다. 세균의 모양은 공 모양, 원통 모양, 사슬 모양 등 다양한 형태가 있다. 세균은 매우 작지만 우리 주변 어디에나 있고 우리 몸에도 살고 있다. 그리고 일반 생물들이 살아가기 힘든 환경에서도 살 수 있으며, 세균이 자라는 데 알맞은 온도나 환경이 되면 짧은 시간이라도 아주 많이 늘어날 수 있다. 세균은 사람들에게 해로운 것도 있지만 도움을 주는 것도 있다.

3. 지민이가 밑줄 그은 내용을 중심으로 요약해서 기록한 것을 살펴봅시다.

세균의 특징

- 세균은 하나의 세포로 되어 있어 단순한 구조이다.
- 세균의 모양은 공 모양, 원통 모양, 사슬 모양 등 다양한 형태이다.
- 세균은 매우 작지만 우리 주변 어디에나 살고 있다.
- 세균이 자라는 데 알맞은 온도나 환경이 되면 짧은 시간이라도 세균은 아주 많이 늘어날 수 있다.
- 세균은 해로운 것도 있고 도움을 주는 것도 있다.

4. 다음 글에서 중요한 내용을 찾아 밑줄을 긋고 그 내용을 기록하여 봅시다.

세균과 바이러스

세균은 아주 작은 생물로, 살기에 적당한 환경에서는 그 수를 빠르게 늘리며 퍼진다. 우리가 먹는 유산균 음료에 들어 있는 유산균을 생각해 보면 되는데 우유에 유산균을 넣고 한나절 정도 지나면 우유가 모두 유산균 음료로 변하는 것을 볼 수 있다. 세균은 이와 같이 수를 늘리는 증식을 한다.

바이러스는 증식이 불가능하고 세포 속에 들어가서 세포의 성질을 바꾸어 버린다. 세포를 바이러스 자신이 사는 수단으로 만든다. 그리고 세균은 유익한 것과 해로운 것이 있는 반면에, 바이러스는 해로운 것이 대부분이다. 바이러스는 세균보다 그 구조가 더 단순하고 크기도 훨씬 작아서 특별한 현미경으로만 관찰할 수 있다.

• 현미경으로 관찰한 세균과 바이러스

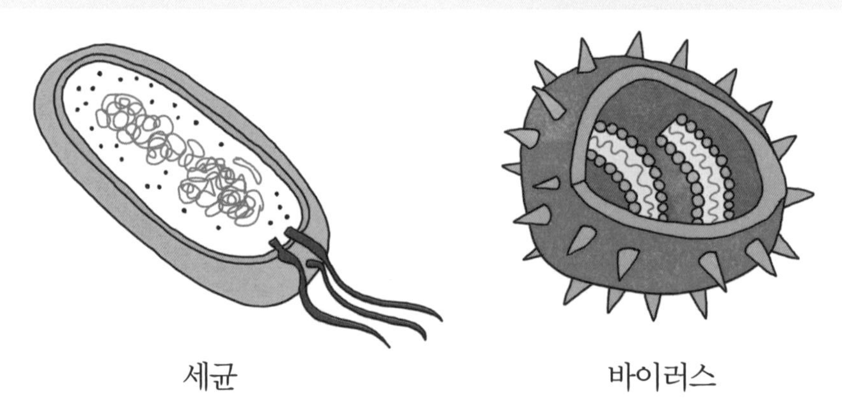

세균과 바이러스

•

•

•

•

어려운 말이 있어요? 확인해 봐요.

불가능

이렇게 사용해요

어떤 사람들은 불가능한 일에 도전하기도 한다.
옛날에는 사람들이 하늘을 나는 것이 불가능하다고 생각했다.

수단

이렇게 사용해요

운송 수단으로는 차, 기차, 배 등이 있다.
사람들에게 말은 편리한 의사소통 수단이다.

대부분

이렇게 사용해요

학교 화단에 핀 꽃은 코스모스가 대부분이다.
점심시간에는 우리 반 친구들 대부분이 운동장에서 뛰어논다.

기록하기

어떤 사실이나 생각을 글로 적어 남기는 것이 기록이에요. 일기를 쓰는 것도 오늘 있었던 일이나 생각을 기록하는 거예요. 관찰한 것을 기록한 것을 관찰 기록문이라고 하지요. 그리고 여행을 하며 생각하고 느끼고 본 것을 기록하기도 해요.

함께 해 봐요

1. '나누어 요약하기' 활동을 해 봅시다.

선생님이 여러분이 읽었던 글을 문단에 따라 잘라서 여러분 한 명 한 명에게 나누어 줄 거예요. 하나씩 가지세요.

선생님이 이번에는 접착 메모지를 나누어 줄 거예요. 하나씩 나누어 가지세요. 이 메모지에 이전에 받은 글을 요약해서 한 문장으로 써 보세요.

요약하다가 모르거나 어려운 부분이
있으면 선생님에게 물어보세요.
다 요약한 메모를 책상 위에 붙이고
다 같이 순서에 맞게 요약한
글을 읽어 보세요.

이렇게 문단을 나누어 요약해 보면
전체 글을 요약한 것이 되지요.
요약한 글 전체를 발표해 보세요.
누가 발표해 볼까요?

2. 활동을 모두 마친 후 접착 메모지에 요약한 내용을 여기에 붙여 봅시다.

되돌아보기

1. 보기 의 낱말들을 아래 글자들에서 찾아서 ○표 해 봅시다.

보기

구조 기록 단순 대부분 바이러스
불가능 세균 수단 양력 음력

나	관	즐	거	인	기	록
자	료	구	내	불	접	상
세	법	조	중	가	수	단
균	바	사	보	능	행	순
감	은	이	단	세	양	님
대	부	분	러	음	력	친
용	행	복	명	스	자	신

2. 내가 조사하고 싶은 나라를 인터넷을 이용하여 찾아보고 중요한 내용을 기록해 봅시다.

나라 이름	
국기 이름과 모양	
인구	
위치와 크기	
명절이나 축제	
대표적인 음식	

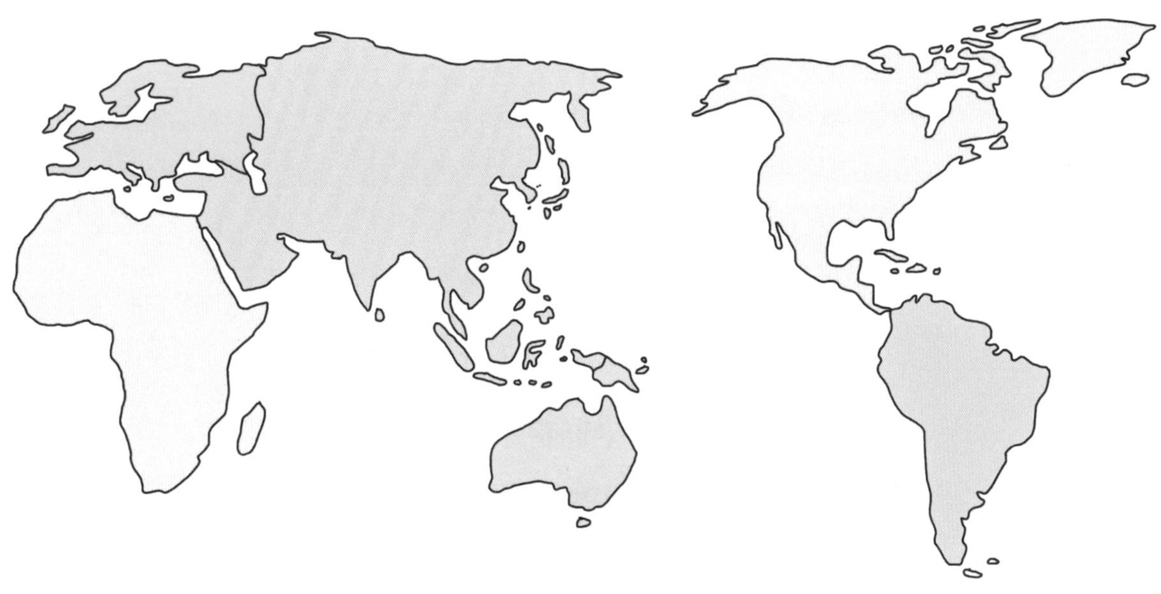

단원 주제

1. 여러 가지 크기를 비교하여 이해하기
2. 중요한 특징을 찾아 서로 비교하기

12 여러 가지 비교 활동

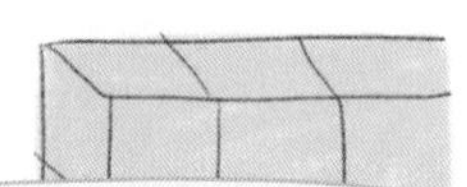

세계 지도를 살펴보니 많은 나라가 있어.
지도에 나와 있는 나라들의 영토 크기가 서로 달라.
그래. 지도에 있는 나라를 비교해 보니까 아주 큰 나라도 있고 작은 나라도 있어.
지도를 보면 영토의 크기도 비교할 수 있구나.

여러 가지 크기를 비교하여 이해하기

1. 여러 나라의 크기를 비교하여 쓴 글을 읽고 물음에 답해 봅시다.

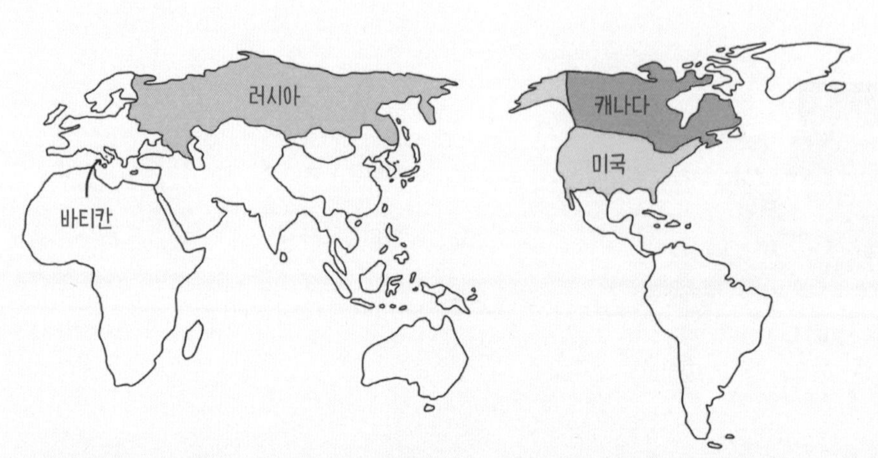

러시아 1,710만㎢ 캐나다 998만㎢ 미국 983만㎢ 바티칸 0.44㎢

오늘 사회 시간에 모둠 친구들과 세계 지도에서 여러 나라의 영토 크기를 살펴보고 비교해 보았다. 지도의 그림만으로는 영토의 크기를 정확히 비교하기 힘들어 《사회과 부도》에서 각 나라의 크기를 찾아보았다.

비교 결과 영토의 크기가 <u>1,710만㎢인 러시아가 가장 큰 나라이고, 0.44㎢인 바티칸이 가장 작은 나라이다. 998만㎢인 캐나다와 983만㎢인 미국은 영토의 크기가 비슷하다. 미국은 러시아보다 작지만, 바티칸보다는 크다.</u>

1) 여러 나라의 영토 크기를 비교한 내용을 소리 내어 읽어 보세요.

2) 글의 내용을 요약했어요. 밑줄 그은 부분을 보고 (　　) 안에 알맞은 말을 쓰세요.

① 영토의 크기가 (　　　　　) 큰 나라는 러시아이다.

② 영토의 크기가 (　　　　　) 작은 나라는 바티칸이다.

③ 캐나다와 미국의 영토 크기는 (　　　　　　　　　　).

④ 미국의 영토 크기는 러시아(　　　　　　　　) 바티칸(　　　　　　　　).

 영토

영토란 한 나라의 힘이 미치는 땅의 범위를 말해요. 주변의 섬들도 영토에 들어가요.

 어려운 말이 있어요? 확인해 봐요.

정확히

이렇게 사용해요 전학 간 친구의 이름이 정확히 기억나지 않았다.
시계의 두 바늘이 정확히 12를 가리키면 12시이다.

비슷하다

이렇게 사용해요 친구와 나의 수학 실력은 비슷하다.
미술 시간에 짝과 내가 그린 그림이 비슷해 놀랐다.

2. 그림을 보고 보기 에서 알맞은 표현을 찾아 ( ) 안에 써 봅시다.

보기

크다 작다 가장 크다 가장 작다

책가방

필통

지우개

1) 필통은 책가방보다 ( ). 2) 필통은 지우개보다 ( ).

3) 책가방이 ( ). 4) 지우개가 ( ).

중요한 특징을 찾아 서로 비교하기

1. 볼록 렌즈와 오목 렌즈를 관찰하는 활동을 살펴보고 물음에 답해 봅시다.

볼록 렌즈와 오목 렌즈를 관찰하고 특징을 찾아보세요. 두 렌즈의 같은 점과 다른 점은 무엇일까요?

두 렌즈 모두 투명하고 딱딱해.

볼록 렌즈의 가운데 부분은 가장자리보다 두꺼워.

볼록 렌즈

오목 렌즈

볼록 렌즈는 가운데가 두꺼운 반면 오목 렌즈는 가운데가 얇아.

볼록 렌즈와 오목 렌즈는 형태가 다르네.

1) 과학 시간에 무엇을 관찰했어요?

2) 관찰 후 알게 된 내용을 소리 내어 읽어 보세요.

3) 위 그림에서 볼록 렌즈와 오목 렌즈의 같은 점을 찾아 써 보세요.

4) 위 그림에서 볼록 렌즈와 오목 렌즈의 다른 점을 찾아 써 보세요.

어려운 말이 있어요? 확인해 봐요.

특징

이렇게 사용해요

이 집의 특징을 찾아보세요.
코끼리는 긴 코가 특징이에요.

반면

이렇게 사용해요

교실 청소는 힘든 반면 보람이 있다.
그는 운동을 잘하는 반면 공부를 못한다.

형태

이렇게 사용해요

책상의 형태는 여러 가지이다.
친구가 입은 옷의 형태가 특이했다.

2. 볼록 렌즈와 오목 렌즈를 통해 본 물체의 모습입니다. (   ) 안에 알맞은 말을 넣어 비교하여 말해 봅시다.

볼록 렌즈와 오목 렌즈는 모두 글씨가 똑바로 보여.

글씨가 (   ) 점이 같아.

볼록 렌즈는 글씨가 크게 보이고, 오목 렌즈는 글씨가 작게 보여.

두 렌즈로 보이는 (   ) 달라.

비교

여러 개의 대상을 살펴보고 같은 점, 다른 점, 비슷한 점을 찾는 것을 비교라고 해요. 비교할 때는 대상의 모양, 쓰임, 성질 등을 다양하게 살펴보는 것이 좋아요.

3. 실험을 통해 알게 된 산소와 이산화탄소의 특징을 비교해 봅시다.

과학 시간에 산소와 이산화탄소의 성질을 알아보는 실험을 했다. 먼저 실험 기구를 이용해 산소와 이산화탄소를 병에 모았다. 모은 산소와 이산화탄소의 색깔과 병에 향불을 넣었을 때의 변화를 관찰하고 냄새도 맡아 보았다.

실험 결과 산소는 색깔과 냄새가 없었다. 산소가 담긴 병에 향불을 넣으면 불꽃이 타올랐다. 이산화탄소는 색깔이 없어 눈에 보이지 않고 냄새도 없었다. 이산화탄소가 담긴 병에 향불을 넣으면 불꽃이 꺼졌다.

1) 두 가지 기체의 무엇을 알아보는 실험을 했어요?

2) 밑줄 그은 부분을 보고 산소와 이산화탄소의 특징을 정리해 보세요.

	산소	이산화탄소
같은 점	• •	
다른 점		

함께 해 봐요

1. '같아요, 달라요' 놀이를 해 봅시다.

2. 내가 낸 문제와 그 답을 써 봅시다.

되돌아보기

1. 같은 모양을 연결하여 낱말을 만들어 써 봅시다.

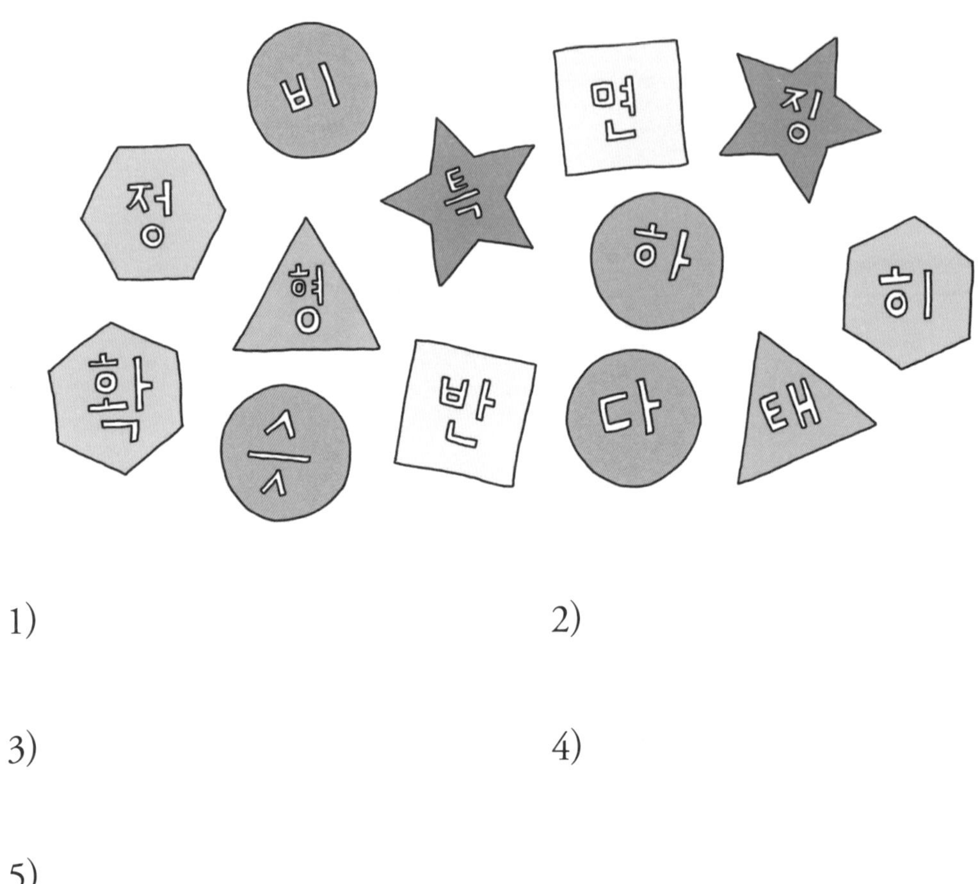

1)

2)

3)

4)

5)

2. 위 낱말에서 뜻을 알고 있는 것을 골라 ○표 하고 문장을 만들어 써 봅시다.

3. 자료를 살펴보고 동물의 특징을 비교하여 봅시다.

코끼리 사자 독수리

1) 보기 의 표현을 사용하여 동물의 크기를 비교해 말해 보세요.

보기

–보다 –이/가 크다 **–보다 –이/가 작다**
–이/가 가장 크다 **–이/가 가장 작다**

2) 동물의 같은 점과 다른 점을 찾아 말해 보세요.

코끼리, 사자, 독수리 모두 동물이야.

코끼리와 사자는 발이 4개라는 점이 같아.

코끼리와 사자는 날개가 없고 독수리는 날개가 있다는 점이 달라.

단원 주제

1. 자료를 부분으로 나누어 살펴보기
2. 자료를 이용하여 글을 쓰는 방법 이해하기

13

자료 분석

친구들에게 독수리의 생김새를 알려 주고 싶어.
어떻게 하면 친구들이 독수리의 모습을
쉽게 이해할까? 독수리의 생김새를
부분으로 나누어 설명해 볼까?

자료를 부분으로 나누어 살펴보기

1. 사막여우에 대한 설명을 살펴보고 물음에 답해 봅시다.

1) 사막여우의 어떤 부분을 살펴보았는지 써 보세요.

(, , ,)

2) 살펴본 부분과 그 부분을 설명하는 내용을 선으로 연결해 보세요.

어려운 말이 있어요? 확인해 봐요.

구별

이렇게 사용해요

내 의견과 친구의 의견은 확실히 구별되었다.
내 친구는 다른 사람과 구별되는 목소리를 가졌다.

연결

이렇게 사용해요

질문과 맞는 답을 연결해 보세요.
글의 연결 부분이 자연스럽게 이어졌다.

2. 선인장을 설명하는 글을 읽고 물음에 답해 봅시다.

사막 식물 선인장

사막에 사는 선인장은 물이 별로 없는 환경에서 살기 위해 독특한 생김새를 가졌다. 선인장을 살펴보면 줄기 바깥 부분은 둥근 기둥 모양이고 초록색이다. 줄기를 잘라 보면 선인장의 줄기 안쪽 부분은 미끄럽고 촉촉하다. 잎 부분은 뾰족한 가시로 되어 있다.

1) 글에서 선인장을 세 부분으로 어떻게 나누었는지 밑줄을 그어 보세요.

2) 각 부분을 설명하는 내용을 소리 내어 읽어 보세요.

분석

전체를 여러 개의 부분으로 나누어 살펴보는 것을 분석이라고 해요. 분석할 때는 먼저 전체를 여러 부분으로 나누고 각 부분을 자세히 살펴봐요.

자료를 이용하여 글을 쓰는 방법 이해하기

1. 글을 쓰는 목적을 확인하고 필요한 자료를 찾는 활동을 살펴봅시다.

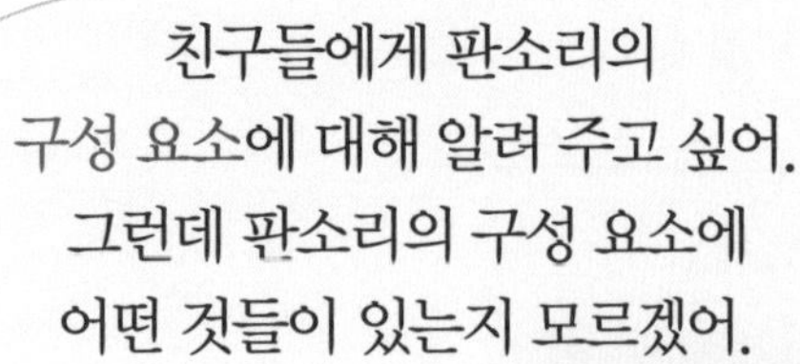

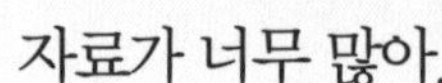

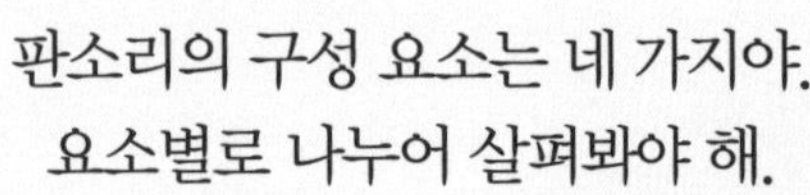

1) 엠마가 친구들에게 알려 주고 싶어 하는 것은 무엇이에요?

2) 엠마가 자료를 찾은 후에 한 활동을 준서의 말에서 찾아 밑줄을 그어 보세요.

3) 엠마가 찾은 자료를 정리해 보세요.

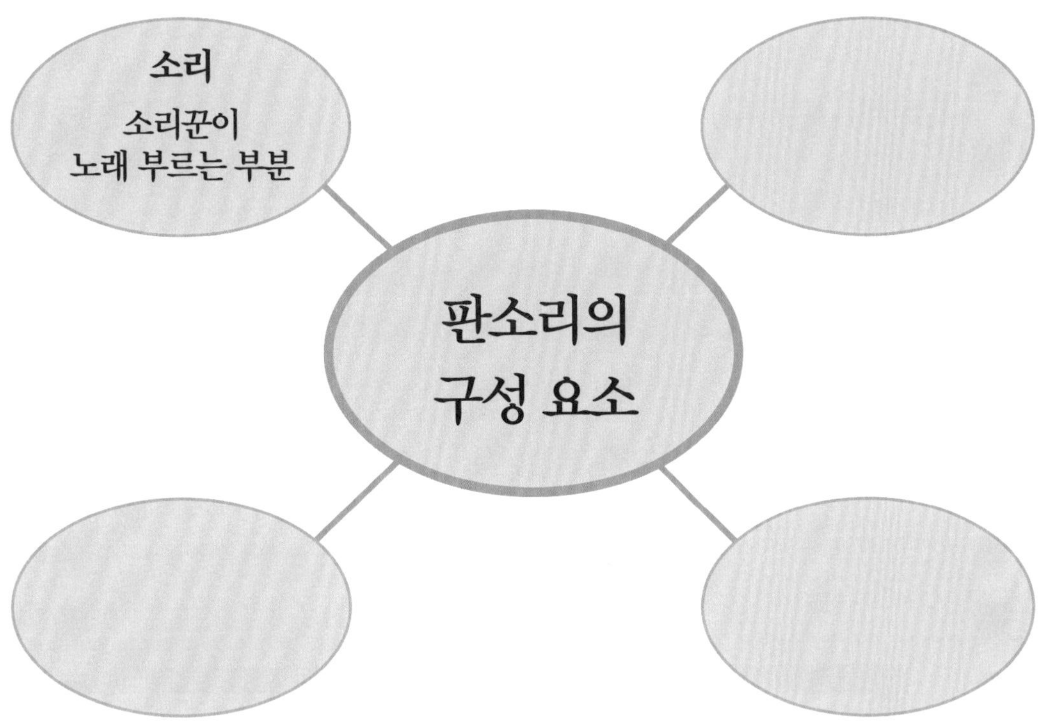

꼬마 수업 **자료 이용**

설명하려는 대상의 특성을 읽는 이가 쉽게 이해하도록 글을 쓰려면 알맞은 자료를 찾아서 이용하면 좋아요. 자료는 인터넷이나 책을 통해 수집할 수 있어요. 자료를 수집할 때는 믿을 수 있는 자료를 찾는 것이 중요해요. 또 수집한 자료가 쓸 내용과 어울리는지, 읽는 이가 이해하기 쉬운지 살펴봐야 해요.

 어려운 말이 있어요? 확인해 봐요.

요소

이렇게 사용해요 | 문장의 구성 요소를 살펴보았다.
소설은 여러 가지 요소로 구성된다.

선택

이렇게 사용해요 | 색칠 도구로 물감을 선택했다.
제가 여러분의 선택이 옳았다는 것을 보여 드리겠습니다.

간추려(간추리다)

이렇게 사용해요 | 모둠의 의견을 간추렸다.
내용을 간추려 가며 글을 읽었다.

2. 글을 쓰기 위해 자료를 분석하는 방법을 알아봅시다.

1) '줄타기'에 대한 자료를 소리 내어 읽어 보세요.

줄타기는 줄광대가 공중에 매단 가느다란 줄 위에서 여러 가지 재주를 사람들에게 보여 주는 놀이이다. 하지만 줄타기는 혼자서 하는 공연이 아니다. 공중에 매단 줄 위에서 공연하는 줄광대가 중심이지만 줄광대가 노래를 부르거나 기술을 보여 줄 때 필요한 신나는 곡을 연주하는 악사와 줄광대의 대화 상대가 되어 재미있는 말을 주고받는 어릿광대가 함께하는 공연이다.

2) 1)의 자료를 보고 그림 속 인물과 인물의 역할을 설명한 내용을 선으로 이어 보세요.

공중에 매단 줄 위에서 공연하는 사람

줄광대가 공연할 때 곡을 연주하는 사람

줄광대와 재미있는 말을 주고받는 사람

3) 2)에서 분석한 자료를 바탕으로 줄타기 구성원의 역할을 설명하는 글을 써 보세요.

줄타기 구성원의 역할은 크게 세 가지로 나눌 수 있습니다.

함께 해 봐요

1. '누구게?' 놀이를 해 봅시다.

2. 놀이를 통해 알게 된 친구의 특징을 정리해 봅시다.

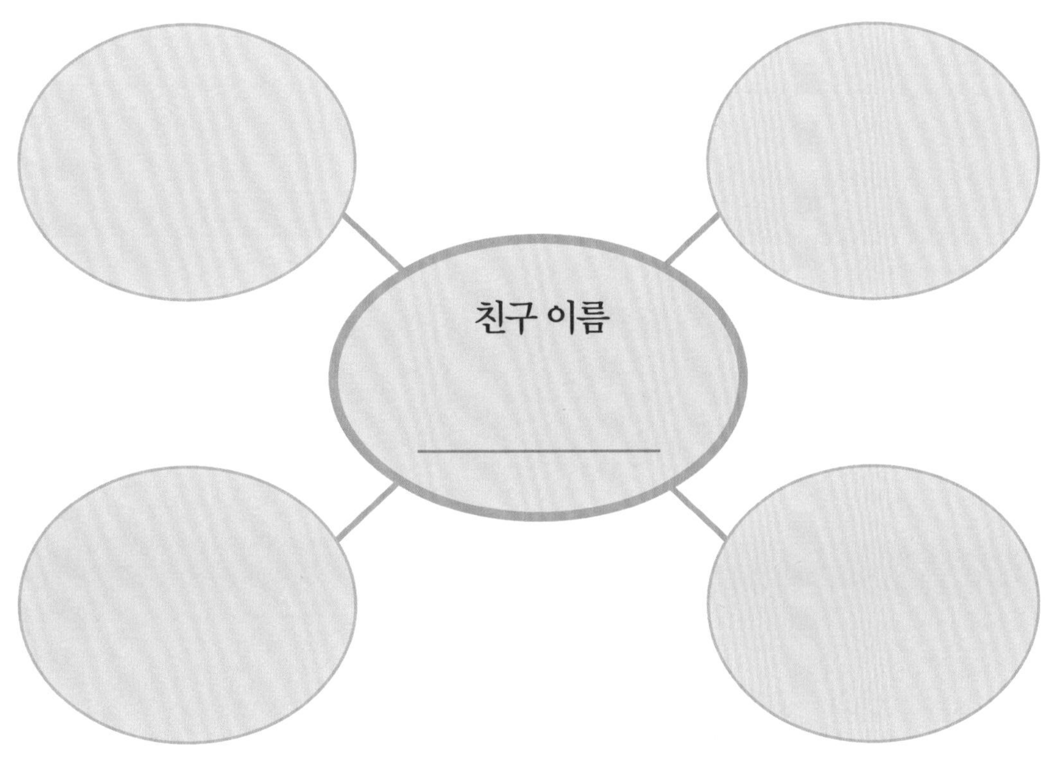

되돌아보기

1. 제시된 자음자로 만들 수 있는 낱말을 **보기** 에서 찾아 써 봅시다.

보기

간추리다 구별 연결 요소 선택

1) ㄱ ㅂ ( )

2) ㅅ ㅌ ( )

3) ㅇ ㄱ ( )

4) ㅇ ㅅ ( )

5) ㄱ ㅊ ㄹ ㄷ ( )

2. 알맞은 낱말에 ○표 해 문장을 완성해 봅시다.

1) 체육 시간에 하고 싶은 활동을 (선택했다/해결했다).

2) 점과 점을 (연결해/비교해) 그림을 완성했다.

3) 긴 글을 읽고 내용을 (간추렸다/제출했다).

4) 다른 그림과 (구별되는/이해되는) 점을 찾았다.

3. 다음 자료를 분석하여 설명하는 글을 써 봅시다.

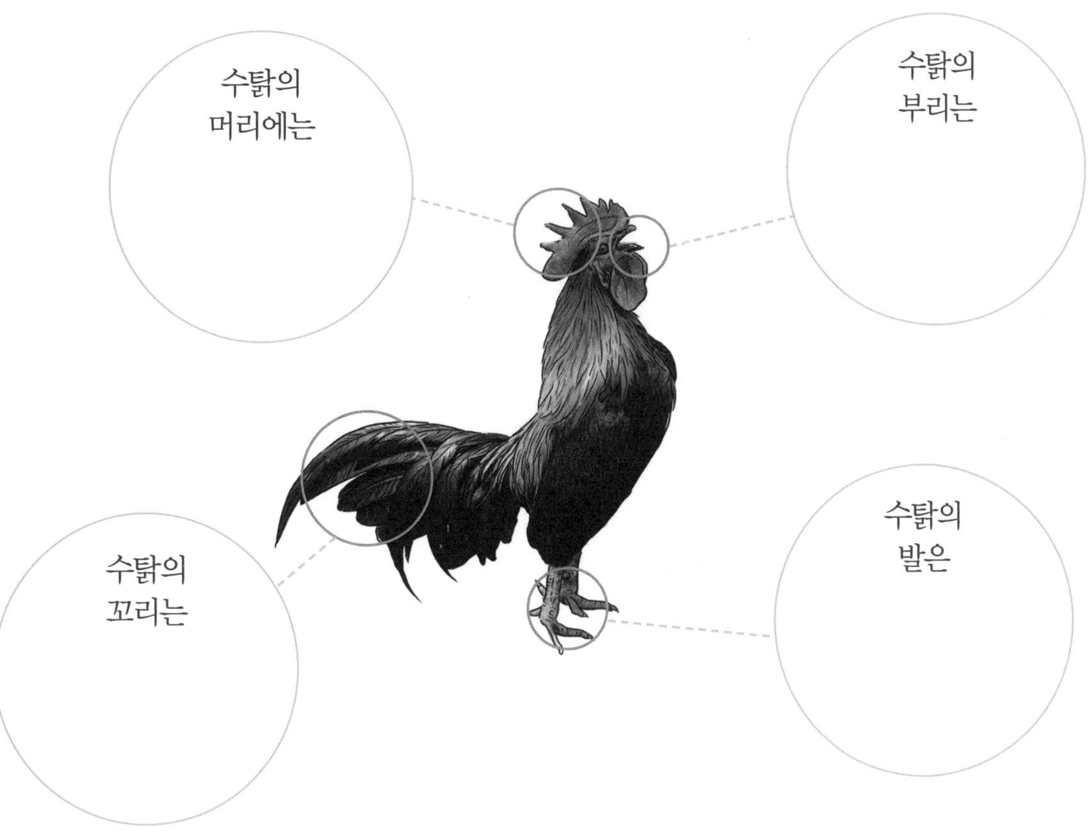

1) 위 사진을 부분으로 나누어 자세히 살펴보세요.

2) 분석한 내용을 바탕으로 수탉의 생김새를 설명하는 글을 써 보세요.

단원 주제

1. 수업 주제에 대한 의견 평가하기
2. 친구들의 의견에 대해 생각해 보기

14

내 생각에는

친구들이 낸 문제에 맞는 생태 보물을
찾아봐야겠어. 선생님이 주변의 동식물과
환경을 생태 보물이라고 했어.
단풍잎은 초록색과 빨간색이 둘 다 있으니까
'두 가지 색깔을 가진 것'에
맞는 답일 거야.
문제가 기억이 안 나네.
문제가 적힌 쪽지를 가져올걸.

수업 주제에 대한 의견 평가하기

1. 그림을 보고 물음에 답해 봅시다.

생태 보물이란 우리 주변의 다양한 동식물과 환경을 말해요. 주변을 둘러보고 문제에 맞는 생태 보물을 찾아 왔나요? 친구가 찾은 보물이 적절한지 판단해 보세요. 친구가 찾은 생태 보물의 특징이 문제와 관련 있는지 생각해 보세요.

바스락 소리가 나는 생태 보물로 마른 나뭇잎을 찾았어.

마른 나뭇잎은 만지면 바스락 소리가 나니까 적절한 생태 보물을 찾았어.

1) 밑줄 그은 부분을 소리 내어 읽어 보세요.

2) (　　) 안에 알맞은 말을 넣어 오딜의 평가 내용을 정리해 보세요.

엠마가 찾은 생태 보물은 (　　　　　　　　　　)고 생각합니다. 왜냐하면 (　　　　　　　　　　　　　　　　　　)기 때문입니다.

어려운 말이 있어요? 확인해 봐요.

적절한(적절하다)

이렇게 사용해요

엄마는 선생님의 질문에 적절하게 대답했다.
가을은 날씨가 좋아 체험 학습을 가기에 적절해.

판단

이렇게 사용해요

준서는 누구의 말을 들을지 판단을 내리지 못했다.
늦더라도 힘든 친구를 도와주는 것이 옳다고 판단했다.

평가

사물의 귀중한 정도나 수준을 헤아려 정하는 것을 평가라고 해요. 수업 시간에 하는 평가 활동에는 찾은 답이 적절한지, 여러 가지 의견 중 어느 것이 좋은지, 작품의 잘된 점과 고칠 점은 무엇인지 등을 판단하는 것이 있어요.

2. 문제와 그에 맞는 적절한 생태 보물을 선으로 이어 봅시다.

약간 거친 느낌이 나는 것	•	•	
향기가 나는 것	•	•	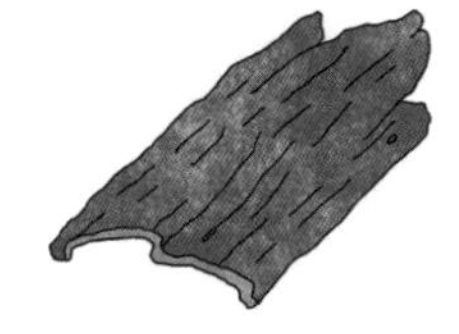

친구들의 의견에 대해 생각해 보기

1. 토의 활동을 살펴봅시다.

1) 토의 주제는 무엇이에요?

2) 친구들이 제시한 의견을 써 보세요.

준서	재미있는 보드게임을 한다.
엠마	
오딜	

2. 친구들이 제시한 의견을 검토하는 방법에 대해 알아봅시다.

1) 다음 대화를 살펴보고 의견을 검토할 때 필요한 기준을 찾아 소리 내어 읽어 보세요.

2) 의견과 판단 기준을 찾아 쓰고 각 의견의 장단점을 검토해 보세요.

기준 / 의견	학교 활동으로 적절한가?	우리 반 친구 모두가 참여할 수 있는가?	
재미있는 보드게임을 한다.			
교과서를 정리하고, 조용히 책을 읽는다.			

(매우 적합함: ◎ 보통임: ○ 적합하지 않음: △)

꼬마 수업 **토의**

해결해야 할 공동의 문제에 대해 정보와 의견을 주고받은 뒤에 가장 좋은 해결 방법을 찾는 것을 토의라고 해요. 토의를 하면 많은 사람의 의견을 들을 수 있고, 여러 사람이 의논하여 가장 좋은 해결 방법을 찾을 수 있다는 장점이 있어요.

어려운 말이 있어요? 확인해 봐요.

검토

이렇게 사용해요

실험 방법이 적절한지 검토가 필요하다.
내용을 여러 번 검토하고 나서 발표했다.

고려

이렇게 사용해요

약속을 잡을 때 남은 시간을 고려했다.
사용할 수 있는 물건을 고려해서 실험 계획을 세웠다.

장단점

이렇게 사용해요

두 놀이의 장단점을 비교해 보았다.
수업 시간에 스마트폰의 장단점에 대해 알아보았다.

3. 친구들이 제시한 의견을 검토해 봅시다.

기준 / 의견	깨끗한 교실을 만드는 효과적인 방법인가?	우리 반 친구 모두가 참여할 수 있는가?	

(매우 적합함: ◎ 보통임: ○ 적합하지 않음: △)

함께 해 봐요

1. '생활 속 보물찾기' 놀이를 해 봅시다. 부록

보물 카드와 문제 카드를 하나씩 가져가. 가져간 카드의 문제와 보물을 살펴봐. 보물 카드 속의 물건이 문제에 대한 답으로 적절한지 판단해서 말하면 돼.

공은 둥근 모양이니까 보물로 적절해.

적절한지에 대해 잘 판단했어. 보물 카드는 가져가고 문제 카드는 뒤집어서 섞어 놔 줘.

2. 놀이를 하면서 카드를 보고 친구들이 한 말을 써 봅시다.

되돌아보기

1. 글자판에서 보기 의 낱말을 찾아 ○표 해 봅시다.

보기

검토　고려　장단점　적절하다　판단

검	토	가	리	설	별	장
난	다	사	판	단	희	단
사	회	고	도	명	수	점
구	이	분	려	학	평	여
과	유	탕	부	하	랑	책
황	체	익	자	육	다	택
적	절	하	다	힘	상	관

2. 알맞은 낱말에 ○표 하여 문장을 완성해 봅시다.

1) 잘함과 못함에 대한 (판단은/방법은) 사람마다 다르다.

2) 조사를 할 수 있는 (적절한/비교한) 방법을 찾았다.

3) 실험 계획이 잘 되었는지 (검토가/결과가) 필요하다.

3. 토의 활동을 살펴보고 물음에 답해 봅시다.

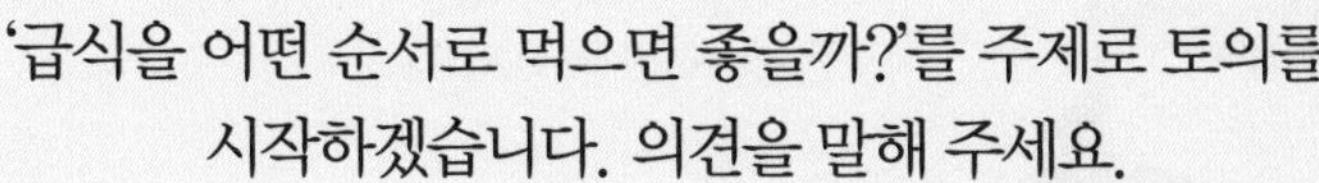

1) 토의 주제가 무엇이에요?

2) 친구들이 제시한 의견을 써 보세요.

서영	
오딜	

3) 토의 주제에 대한 내 의견을 써 보세요.

나	

4) 아래 기준을 고려하여 가장 좋다고 생각하는 의견과 그 의견을 선택한 이유를 말해 보세요.

모든 친구가 먼저 먹을 기회를 얻을 수 있나요?

질서를 지키며 급식을 받을 수 있나요?

단원 주제

1. 문제를 해결한 위인의 사례를 읽고 이해하기
2. 주장을 펼치는 글 써 보기

15 문제를 해결하려면

가뭄

홍수

힘들어하는 백성들을 위해
비의 양을 미리 알 방법은 없을까?

문제를 해결한 위인의 사례를 읽고 이해하기

1. 세종대왕의 사례를 읽고 물음에 답해 봅시다.

측우기의 발명

세종대왕은 가뭄과 홍수로 힘들어하는 백성들을 보며 가슴이 아팠습니다. 세종대왕은 백성들의 문제를 해결하기 위해 비의 양을 예상하여 가뭄과 홍수에 대비할 수 있다면 좋겠다고 생각했습니다.

세종대왕은 여러 해 동안 내린 비의 양을 비교하여 다음 해에 내릴 비의 양을 알아보고자 했습니다. 이를 위해 각 마을에 비의 양을 재어 보고하라고 했습니다. 하지만 땅속으로 스며드는 비의 양을 정확하게 재기가 어려웠습니다.

세종대왕은 여러 기술자를 모아 비의 양을 재는 기구를 만들도록 했습니다. 기술자들은 큰 노력 끝에 비의 양을 정확하게 잴 수 있는 측우기를 만들었습니다.

1) 세종대왕이 해결하고자 하는 문제점을 말해 보세요.

2) 세종대왕이 문제를 해결하기 위하여 누구에게 무엇을 만들라고 하였는지 써 보세요.

누구	
무엇	

2. 밑줄 그은 내용을 바탕으로 세종대왕이 문제를 해결한 과정을 정리해 써 봅시다.

문제 해결 과정

문제를 해결하기 위해서는 먼저 주어진 상황에서 문제가 무엇인지 찾아야 해요. 다음으로 문제 해결을 위한 다양한 방법을 생각해요. 마지막으로 가장 좋다고 생각되는 방법으로 문제를 해결해 봐요. 이때 문제가 해결되지 않으면 다른 방법을 찾아야 해요.

어려운 말이 있어요? 확인해 봐요.

사례

이렇게 사용해요

구체적인 사례를 들어 설명했다.
조사해 보니 다양한 환경 문제 사례가 있었다.

어려웠습니다(어렵다)

이렇게 사용해요

계산이 복잡한 문제라 풀기 어려웠다.
힘을 합쳐 어려운 일을 쉽게 해결할 수 있었다.

주장을 펼치는 글 써 보기

1. 친구 사이에 있었던 일을 살펴보고 물음에 답해 봅시다.

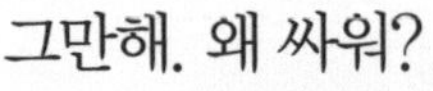

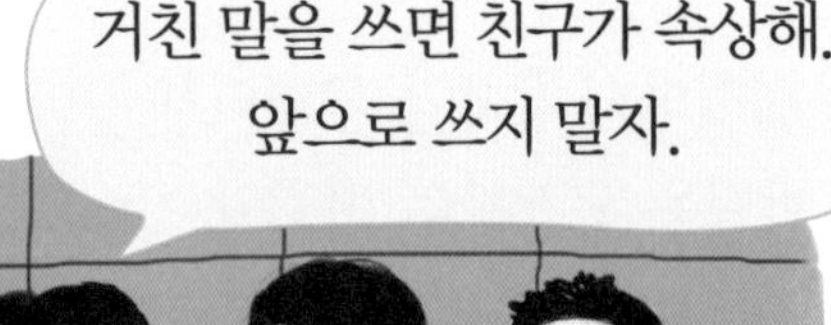

1) 준서와 오딜이 싸운 원인은 무엇이에요?

2) 서영이가 생각하는 문제가 무엇인지 밑줄 그은 부분을 소리 내어 읽어 보세요.

3) 서영이가 의견을 알리는 효과적인 방법으로 생각한 것은 무엇이에요?

2. 서영이가 쓴 글을 읽고 물음에 답해 봅시다.

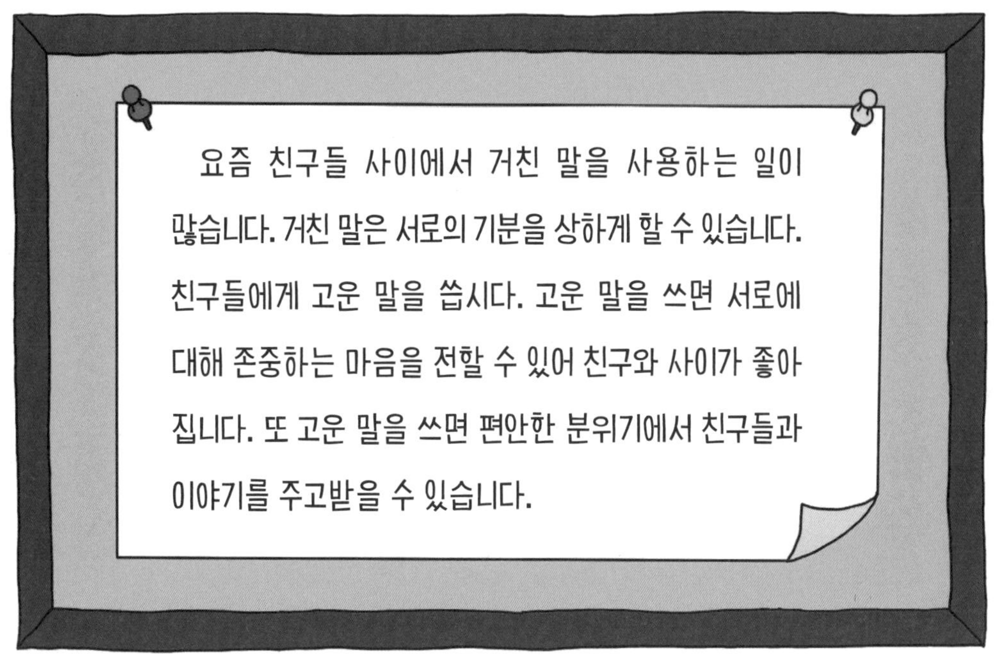
요즘 친구들 사이에서 거친 말을 사용하는 일이 많습니다. 거친 말은 서로의 기분을 상하게 할 수 있습니다. 친구들에게 고운 말을 씁시다. 고운 말을 쓰면 서로에 대해 존중하는 마음을 전할 수 있어 친구와 사이가 좋아집니다. 또 고운 말을 쓰면 편안한 분위기에서 친구들과 이야기를 주고받을 수 있습니다.

1) 서영이가 이 글을 쓴 까닭은 무엇이에요?

2) 문제를 해결하기 위해 서영이가 제시한 의견을 소리 내어 읽어 보세요.

3) (   ) 안에 알맞은 말을 넣어 의견을 뒷받침하는 내용을 정리해 보세요.

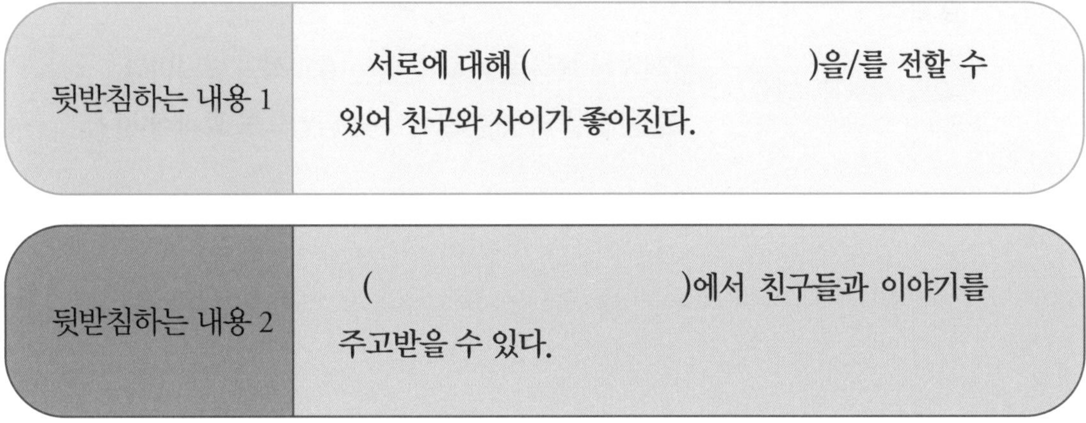

뒷받침하는 내용 1	서로에 대해 ( )을/를 전할 수 있어 친구와 사이가 좋아진다.
뒷받침하는 내용 2	( )에서 친구들과 이야기를 주고받을 수 있다.

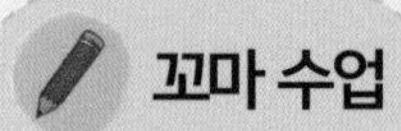

문제 상황

정리가 되지 않아 지저분한 교실 책꽂이와 같이 생활 속에서 불편하거나 좋은 쪽으로 바꾸고 싶은 일을 문제 상황이라고 해요.

주장과 근거

문제를 해결하고자 내세우는 생각을 주장이라고 해요. 주장할 때는 주장을 뒷받침하는 알맞은 내용인 근거를 함께 제시하는 것이 좋아요. 예를 들어 '책을 읽고 제자리에 꽂읍시다'가 주장이라면 '왜냐하면 내가 본 책을 제자리에 꽂으면 책꽂이 정리가 바로 되기 때문입니다'는 근거예요.

어려운 말이 있어요? 확인해 봐요.

원인

이렇게 사용해요

강이 더러워진 원인이 드러났다.
우리가 경기에 진 원인을 생각해 보았다.

효과적

이렇게 사용해요

달리기는 체력을 키울 수 있는 효과적인 방법이다.
그림은 낱말의 뜻을 알려 주는 방법으로 효과적이다.

까닭

이렇게 사용해요

친구가 내 의견에 반대한 까닭이 궁금했다.
선생님께서 내가 학교에 늦은 까닭을 물어보셨다.

3. 정리된 내용을 보고 주장을 펼치는 글을 써 봅시다.

문제 상황	바다에 떠다니는 일회용품 쓰레기가 동물들을 병들게 하고 있다는 뉴스를 보았다.
주장	동물 보호를 위해 일회용품 사용을 줄이자.
근거	• 일회용품 사용을 줄이면 일회용품 쓰레기도 줄일 수 있다. • 일회용품 쓰레기가 줄어야 바다가 깨끗해지고 동식물도 병들지 않는다.

함께 해 봐요

1. '문제 해결 왕' 놀이를 해 봅시다.

2. 놀이를 하면서 기억에 남았던 주장과 근거를 써 봅시다.

되돌아보기

1. 보기 의 글자를 이용하여 이번 단원에서 배운 낱말을 만들어 봅시다.

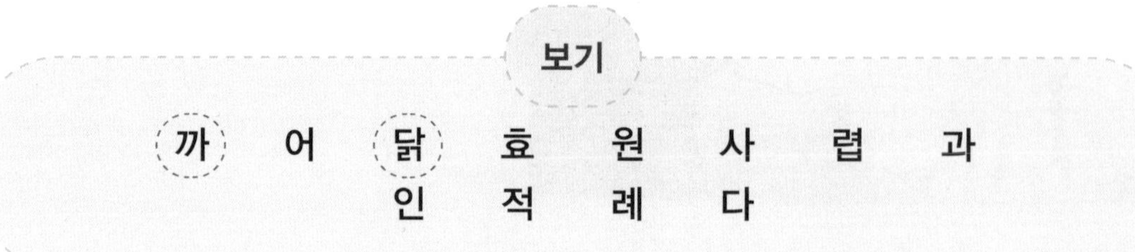

1)

2)

3)

4)

5)

2. 위 낱말을 이용하여 문장을 완성해 봅시다.

1) 고운 말을 써야 하는 ( )은/는 무엇일까?

2) 나는 친구들과 영어로 묻고 답하는 활동이 ( ).

3) 친구들과 친해질 수 있는 ( )인 방법은 함께 노는 것이다.

4) 주변에서 다양한 환경 문제 ( )을/를 찾아보았다.

3. 문제 상황과 그에 어울리는 주장 및 근거를 골라 주장을 펼치는 글을 써 봅시다.

문제 상황
- 스마트폰을 오래 해서 눈이 나빠지는 친구가 많습니다.
- 교실 바닥에 떨어진 쓰레기가 많아 지저분합니다.

주장
- 내 주변의 쓰레기를 주웁시다.
- 스마트폰을 하는 시간을 정해 놓고 사용합시다.

근거
- 보는 사람이 바로 쓰레기를 주우면 교실이 금방 깨끗해질 것입니다.
- 눈이 쉴 수 있는 시간이 생겨 눈이 나빠지지 않을 것입니다.

단원 주제

1. 미래 사회에 대해 상상하고 발표하기

2. 상상한 것을 글로 써 보기

16

미래 사회

미래 사회의 모습에 대해 알아보기
미래 사회에는 사람들이 어떻게 살아갈까요?
미래 사회에는 스스로 움직이는 차가 하늘을 날아다닐 거야. 집에서는 로봇이 요리나 청소 같은 집안일을 하고 있겠지?

미래 사회에 대해 상상하고 발표하기

1. 오달이 미래 사회의 모습을 상상하며 쓴 글을 읽어 봅시다.

미래 사회의 모습

100년 후 미래 사회는 과학 기술의 발달로 사람들이 편리하고 여유롭게 살 수 있을 것이다. 사람들은 어디든지 쉽게 갈 수 있는 이동식 집에 살 것이다. 사람들이 먹을 음식 재료와 필요한 물건들은 모두 배송된다. 그리고 요리와 청소는 가사 도우미 역할을 하는 로봇이 해서 가족들은 집안일에서 자유로울 것이다. 아이들은 학교에 가지 않고 집에서 공부할 것이다. 공부할 자료들을 집에서 컴퓨터로 모두 볼 수 있을 것이기 때문이다. 하지만 아이들이 함께 모일 때가 있는데 놀이를 할 때이다. 놀이 시간에 아이들은 미리 정한 장소에 모여 놀 것이다.

어려운 말이 있어요? 확인해 봐요.

역할

이렇게 사용해요

이번 가족 여행에서 나는 동생을 챙기는 역할을 해야 한다.

과학 시간에 나의 역할은 모둠 친구들에게 실험 도구를 나누어 주는 것이다.

자료

이렇게 사용해요

공부할 자료를 선생님께서 나누어 주셨다.

조사한 자료가 너무 많아서 정리하기 힘들었다.

정한(정하다)

이렇게 사용해요

친구들과 주말에 만날 장소를 정했다.

공부할 부분을 미리 정해서 예습했다.

2. '100년 후, 미래 사회 사람들의 생활 모습'을 상상해서 써 봅시다.

미래 사회 사람들의 이동 수단	미래 사회 사람들의 이동 수단에 대해 상상해 보았다. ______
미래 사회 사람들의 집과 음식	______

상상한 것을 글로 써 보기

1. 엠마가 쓴 상상 일기를 읽어 봅시다.

2065년 12월 22일 월요일　날씨: 화성은 모래 폭풍이 심함.
10년 전 나는 화성으로 이사를 했다. 나는 화성에서 사람들이 살 수 있는 주택을 건설하는 데 참여한 건축가이다. 요즘은 건축가들이 우주 환경에 대해서도 많이 알아야 해서 연구할 것이 많다. 화성의 모래 폭풍이 지구인들이 사는 데 문제가 될 때가 많았다. 이 모래 폭풍을 완벽하게 막는 기술이 20년 전에 개발되었다. 그 이후로는 지구와 거의 비슷한 환경에서 사람들이 살아갈 수 있게 되었다. 나는 화성에서 사람들이 더 잘 살 수 있도록 돕는 일이 즐겁다. 그리고 내가 화성에서 살 수 있는 것도 좋다. 

상상

상상은 실제로 있지 않은 것을 머릿속에 그려 보는 것이에요. 실제로 없는 물건일 수도 있고 실제로 일어나지 않은 일일 수도 있어요. 하고 싶은 것, 먹고 싶은 것, 미래에 되고 싶은 것 등을 생각하는 것이 바로 상상하기예요.

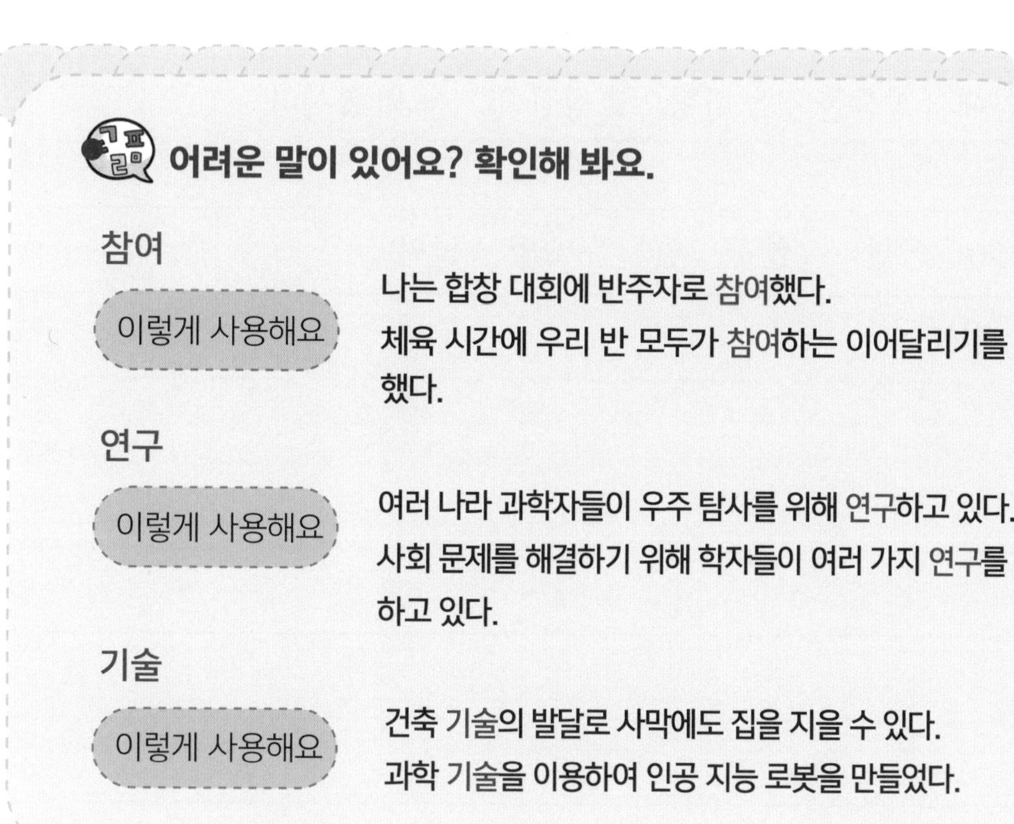

어려운 말이 있어요? 확인해 봐요.

참여

이렇게 사용해요

나는 합창 대회에 반주자로 참여했다.
체육 시간에 우리 반 모두가 참여하는 이어달리기를 했다.

연구

이렇게 사용해요

여러 나라 과학자들이 우주 탐사를 위해 연구하고 있다.
사회 문제를 해결하기 위해 학자들이 여러 가지 연구를 하고 있다.

기술

이렇게 사용해요

건축 기술의 발달로 사막에도 집을 지을 수 있다.
과학 기술을 이용하여 인공 지능 로봇을 만들었다.

2. 내가 어른이 된다면 무엇을 할지 상상하여 생각 그물에 나타내어 봅시다.

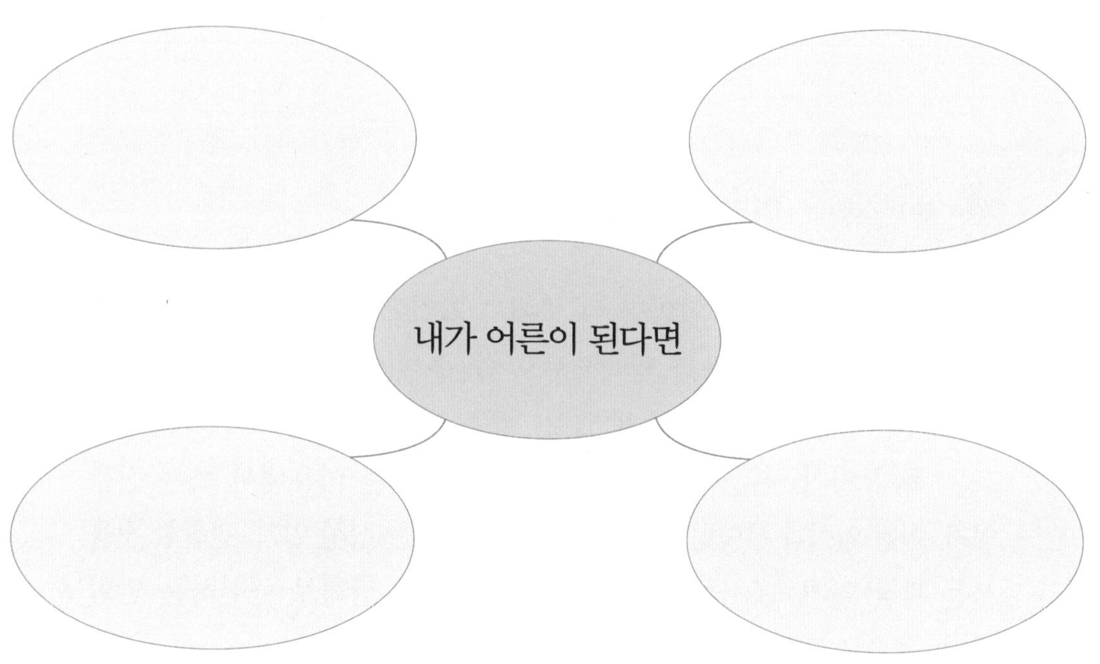

3. 앞에서 상상한 것을 바탕으로 상상 일기를 써 봅시다.

20○○년 월 일 요일 날씨:
제목:

꼬마 수업 **여러 가지 일기**

일기는 오늘 나에게 있었던 일 중에서 기억에 남는 것, 특별한 것을 주로 쓰지만, 다른 내용과 형식으로도 쓸 수 있어요. 선생님께서 정해 주시는 주제에 따라 쓰는 주제 일기, 책을 읽은 후 생각하고 느낀 점을 쓰는 독서 일기, 신문의 내용이나 신문의 자료를 이용해서 쓰는 신문 일기, 어떤 일이나 무엇인가에 대해 상상해서 쓰는 상상 일기, 관찰한 것을 쓰는 관찰 일기, 조사한 것을 쓰는 조사 일기, 만화로 표현하는 만화 일기, 동시로 표현하는 동시 일기 등이 있어요.

4. 일기 쓰는 차례에 대해 알아봅시다.

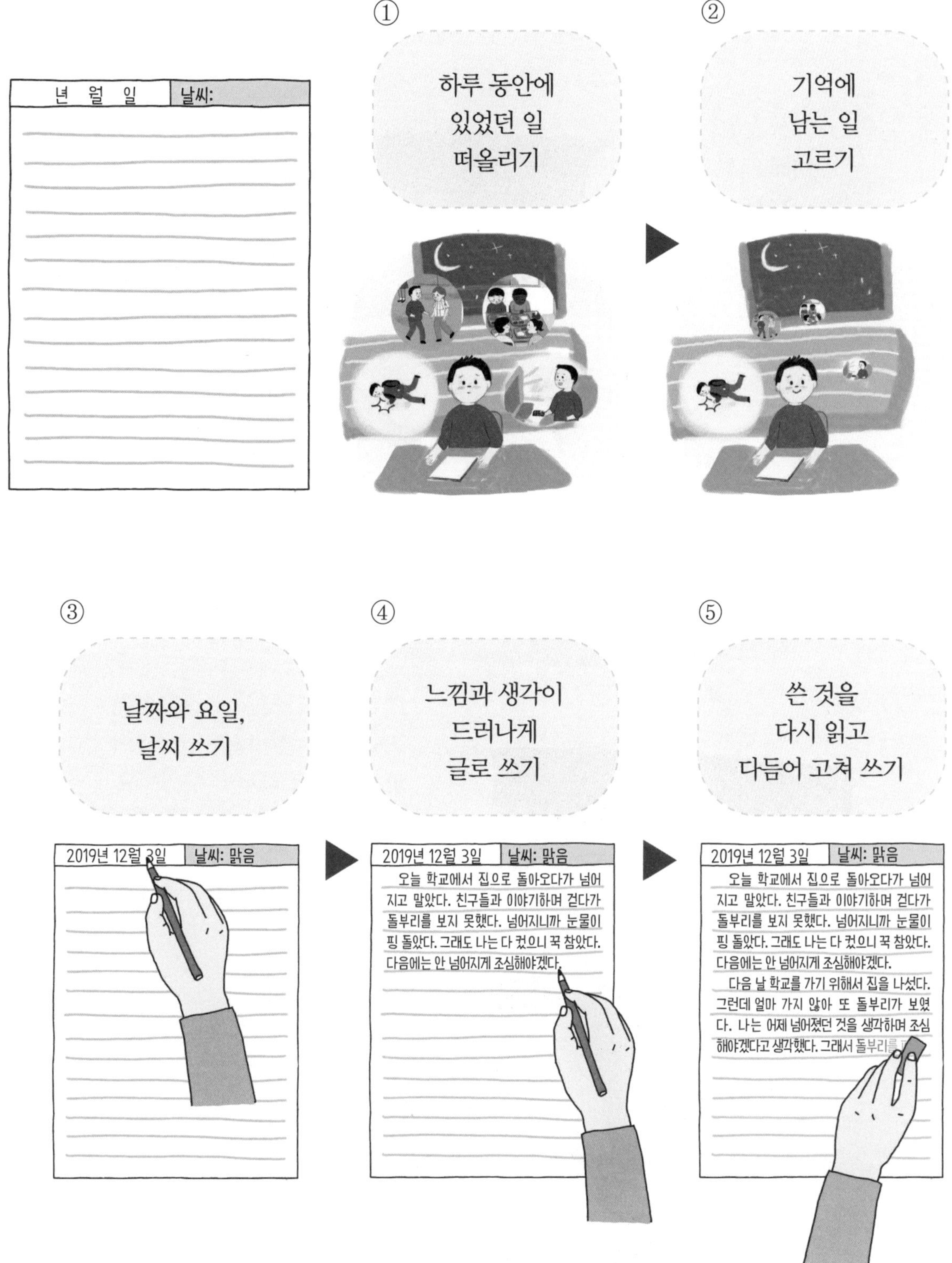

함께 해 봐요

1. '과학 상상 협동화 그리기'를 해 봅시다.

2. 과학 상상 협동화의 내용을 친구들 앞에서 발표해 봅시다.

되돌아보기

1. 주어진 낱말을 이용하여 문장을 만들어 봅시다.

역할	
자료	
참여	
연구	
정하다	

2. 일기를 쓰다가 잠이 든 다니엘을 대신하여 일기를 완성해 봅시다.

20○○년 12월 ○○일 금요일 날씨: 눈이 많이 온 날

제목: 기다리고 기다리던 방학식 날

오늘은 겨울 방학식 날이다. 아침부터 들뜬 마음으로 학교로 갔다. 친구들도 방학을 맞이해서 그런지 많이 들떠 있었다. 선생님도 여러 가지 일로 바빠 보이셨다. 그런데 갑자기 교실 밖에서 화재 경보기 사이렌 소리가 "앵~" 하고 귀가 찢어질 듯 크게 들렸다.

듣기 지문

5단원 · 어려운 문제일수록

〈2〉 생각을 펼치는 토론 활동 살펴보기

〈track 1〉

해설: 하미의 할머니 댁 앞에는 커다란 산이 있어요. 그래서 할머니 댁에 갈 때는 멀리 돌아서 가거나 위험한 산 위의 도로를 이용해야 해요. 하미는 아버지께 이 산에 터널이 만들어진다는 소식을 들었어요.

하미: 아빠, 터널이 만들어지면 이제 할머니 댁에 더 빨리 도착하겠네요?

하미 아버지: 그렇지. 30분은 더 빨리 갈 수 있을 거다. 하지만 터널을 만들게 되면 산에 사는 생물들이 살 곳을 잃게 될 것 같아 걱정이구나. 자연도 많이 훼손되겠지.

하미: 터널을 만드는 것에 좋은 점만 있는 것은 아니군요. 그 터널을 만드는 것에 찬성하는 의견과 반대하는 의견이 있겠네요.

6단원 · 수행 평가

〈1〉 친구들의 작품을 평가하기

〈track 2〉

타이선: 엠마가 '고려 시대의 문화' 병풍 책을 아주 열심히 만든 것 같습니다. 특히 내용을 자세히 잘 정리해서 고려 시대의 문화를 공부할 때에 많은 도움이 됩니다. 하지만 여러 가지 문화재는 그림이나 사진을 붙여서 정리하면 한눈에 볼 수 있고 더 오래 기억할 수 있겠습니다.

7단원 · 독서 기록장

〈1〉 이어질 내용 상상하기

〈track 3〉

다니엘: 할머니, 할아버지, 늙은 고양이가 아무리 당겨도 무를 뽑을 수 없었어요. 결국 고양이는 힘들어서 집으로 돌아갔어요. 할머니와 할아버지는 고민을 하다가 결국 무의 잎만 가위로 잘랐어요. 그리고 집에 가서 무의 잎으로 김치를 만들었어요. 그날 저녁 할아버지와 할머니는 밥과 김치를 맛있게 먹었답니다.

정답

1단원 · 탐구 활동을 해요

〈1〉 탐구 활동 이해하기

1. 2) ② 자세히 살펴보기
③ 더 찾아보기

〈2〉 여러 가지 탐구 활동 살펴보기

1. 2) ①

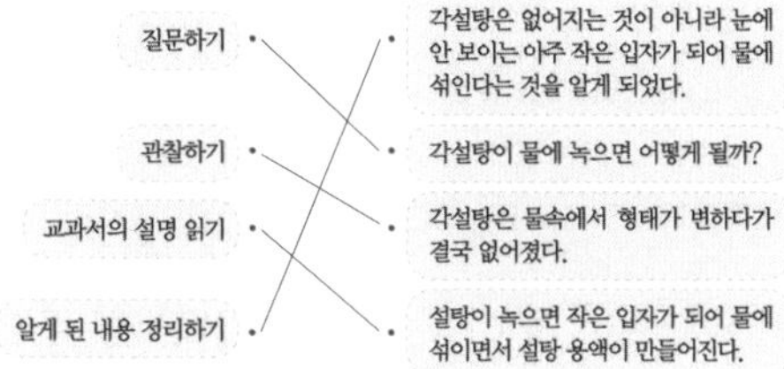

1. 2) ② 볼 수 있었습니다.
된다고 합니다.
알게 되었습니다.

2. 2) 이용하면 에너지를 얻을 수 있다.
커다란 날개를 가지고 있어서 큰 바람개비와 같은 모습이다.

3. 바람이 많이 부는 곳에 큰 바람개비 모습의 풍력 발전기가 있어. 커다란 바람개비가 도는 모습이 정말 신기한 것 같아. 그래서 나는 풍력 발전기를 그렸어.

〈3〉 함께 해 봐요

2. 친구1: 나는 말을 왼쪽으로 움직일게.
친구2: 나는 네 말을 따라 움직일 거야!
친구1: 이렇게 하면 말을 딸 수 있겠네.
친구2: 그럼 나는 이렇게 움직여서 말을 딸 거야.

〈4〉 되돌아보기

3. 탐구 활동으로 운동선수의 뛰는 모습을 자세히 알 수 있었다. 팔을 움직일 때는 근육이 함께 움직인다는 것을 알 수 있었다. 근육은 팔을 펴면 늘어나고 팔을 굽히면 줄어든다는 사실을 알 수 있었다.

2단원 · 이럴 땐 이런 생각

〈1〉 어림하여 말하기

1. 2) ① 200g
② 250g

2. 2) 6cm

〈2〉 상황을 추측해서 이해하기

2. 1) 눈을 의심하다: 잘못 보지 않았나 하여 믿지 않거나 이상하게 생각하다.
2) 정말 이상한/보고도 믿지 못할 정도로 이상한

3. 1) 남자가 거짓말을 하고 있기 때문이야. 남자가 한 시간 전에 아이스크림을 사고 있었다고 했는데, 아이스크림이 하나도 녹지 않았어. 남자는 거짓말을 하고 있어.

〈3〉 함께 해 봐요

1.

8	1	6
3	5	7
4	9	2

2. 세로줄을 더하면 15가 되는구나. 그러면 세로줄이나 대각선도 더한 값이 15가 되도록 수를 찾아야 해. 대각선부터 찾아보면, 5와 2가 있으니까 8이 들어가. 맨 아래 가로줄 왼쪽 칸에는 4, 그 위는 3이 들어가. 맨 위의 가로줄 오른쪽 칸에는 6, 가운데 가로줄 오른쪽 칸에는 7이 들어가. 이렇게 다 찾았네.

〈4〉 되돌아보기

3. 1) 밤 한 톨의 무게는 50g일 것이다.
이유: 밤 5개가 250g이니까 다섯으로 나눈 것이다.
2) '손이 크다'는 무엇을 많이 하고, 많이 줄 때 쓰는 말이다. 그래서 오딜은 엠마가 은행잎을 많이 가져온 것을 손이 크다고 말하고 있다.

3단원 · 계획하고 실행하고

〈1〉 글쓰기를 위한 계획 알아보기

1. 1) 쓸 내용, 글의 짜임
2) 장소, 날짜, 보거나 들어서 알게 된 점, 생각이나 느낌을 써야 해요.

2.

보거나 들어서 알게 된 점	참성단은 단군왕검이 하늘에 제사를 지내던 곳이라는 것을 알게 되었다.
생각이나 느낌	마니산 정상에서 본 바다가 아름다웠다.

〈2〉 조사 계획 살펴보기

1. 1) 도깨비바늘에 대해 조사하고 싶어 해요.
2) 계획을 세우려고 해요.

2. 1) 조사 주제, 조사 목적, 조사 내용
2) 식물도감 찾아보기, 인터넷 검색하기, 어른들께 여쭤보기

3.

조사 내용	㉠ 고구마와 맹그로브 뿌리의 모습을 파악할 수 있는 자료 등
조사 방법	식물도감 찾아보기, 인터넷 검색하기

〈3〉 함께 해 봐요

2. ㉠

글쓰기 계획표

장소	불국사
보거나 들어서 알게 된 점	불국사를 만들게 된 이유에 대해 알게 되었다.
생각이나 느낌	우리 문화재가 자랑스러웠다.

조사 계획표

조사 주제	다양한 식물의 뿌리
조사 내용	감자 뿌리의 생김새를 파악할 수 있는 자료
조사 방법	식물도감 찾아보기

〈4〉 되돌아보기

3.

보거나 들어서 알게 된 점	정조 대왕이 수원 화성을 만들게 된 이유에 대해 알게 되었다.
생각이나 느낌	화성을 보존하기 위해 노력해야겠다.

4.

조사 방법	식물도감 찾아보기, 인터넷 검색하기 등

4단원 · 나란히 놓고 보면

〈1〉 공통점과 차이점을 찾는 활동 이해하기

1. 1) 사자와 호랑이는 어린이들에게 인기가 많은 동물입니다. 또 작은 동물들을 먹고 산다는 공통점이 있습니다.
 2) 사자는 함께 다니는 것을 좋아해서 무리 지어 삽니다. 수사자와 암사자는 자라면서 생김새가 달라집니다. 호랑이는 혼자 있는 것을 좋아해서 혼자 삽니다. 호랑이는 성별에 상관없이 모두 줄무늬를 가지고 있습니다.

2.

	문어	오징어
공통점	다리가 여러 개다. 바다에 산다. 유연하다.	
차이점	다리가 8개다. 몸통이 동그랗다.	다리가 10개다. 몸통이 길쭉하다.

〈2〉 차이점을 확인하며 사물을 살펴보기

1. 1) 휴지 상자와 주사위를 비교하고 있어요.
 2) 휴지 상자와 주사위는 모두 입체 도형이야. 그리고 6개의 사각형으로 구성되어 있어. 휴지 상자와 주사위는 모두 모서리가 12개야.
 3) 휴지 상자는 직사각형이 6개고, 주사위는 정사각형이 6개야. 휴지 상자는 모서리 길이가 다른 것이 있는데, 주사위는 모서리 길이가 모두 같아.

2. 예

	축구공	농구공
공통점	동그란 공 모양이다. 운동 경기나 체육 시간에 사용한다.	
차이점	축구를 할 때 사용한다. 공을 발로 찬다. 농구공보다 크기가 작고 가볍다.	농구를 할 때 사용한다. 공을 손으로 치거나 던진다. 축구공보다 크기가 크고 무겁다.

3. 예 축구공은 축구를 할 때 사용한다. 축구공으로 드리블을 하거나 골을 넣을 때 발을 사용한다. 축구공은 농구공보다 크기가 작고 가볍다.
 농구공은 농구를 할 때 사용한다. 손바닥으로 농구공을 치면서 드리블을 한다. 골을 넣을 때에는 손으로 농구공을 던진다. 농구공은 축구공보다 크기가 크고 무겁다.

〈3〉 함께 해 봐요

2. 예

	문어	오징어
공통점	다리가 여러 개다. 바다에 산다. 유연하다.	
차이점	다리가 8개다. 몸통이 동그랗다.	다리가 10개다. 몸통이 길쭉하다.

〈4〉 되돌아보기

1. 가로 열쇠 세로 열쇠
 ① 공통점 ② 차이점
 ③ 직육면체 ④ 정육면체
 ⑤ 입체 ⑥ 비교

2. 예 축구공과 농구공은 공이라는 공통점이 있어./축구공과 농구공은 공이라는 공통점이 있다.
예 축구공과 농구공을 비교해서 살펴봤어./ 축구공과 농구공을 비교해서 살펴봤다.

3. 1) • 여러 가지 음을 연주할 수 있다는 차이점도 있습니다.
• 단소는 악기를 옆으로 눕혀 연주를 합니다.
• 악기를 세로로 길게 세워 연주한다는 점에서 단소와 공통점이 있습니다.
2) ① 여러 가지 음을 연주할 수 있다는 공통점도 있습니다.
② 단소는 세로로 길게 세워 연주를 합니다.
③ 악기를 옆으로 악기를 눕혀 연주한다는 점에서 단소와 차이점이 있습니다.

5단원 · 어려운 문제일수록

〈1〉 계산 문제 풀어 보기

1. 1) 초록 공원의 넓이를 구하려고 해요.
2) '가로 × 세로'를 해요.
3) 1.5 × 1 = 1.5

〈2〉 생각을 펼치는 토론 활동 살펴보기

1. 1) 할머니 댁에 더 빨리 도착할 수 있어요. 위험한 길로 가지 않아도 돼요.
2) 산에 사는 생물들이 살 곳을 잃어요. 자연이 훼손돼요.

2. 1) 찬성/반대
2) 예 저는 초등학생이 화장을 하는 것에 반대합니다.

〈3〉 함께 해 봐요

2.

문제	학교에 휴대 전화를 가져와도 될까?
찬성	저는 학교에 휴대 전화를 가져와도 된다고 생각합니다. 왜냐하면 급한 일이 생겼을 때 쉽게 부모님께 연락할 수 있습니다.
반대	저는 학교에 휴대 전화를 가져오는 것을 반대합니다. 왜냐하면 공부에 집중이 안 되기 때문입니다.

〈4〉 되돌아보기

1. 1) 바람직
2) 토론
3) 단위
4) 반대
5) 문제점

2. 구하려고 하는 것은 무엇인가요? 바르게 구했는지 확인해 보시오.

3. 예 저는 학교에 자전거를 타고 오면 안 된다고 생각합니다. 왜냐하면 등굣길에는 학생들이 많아서 사고의 위험이 있습니다.

6단원 · 수행 평가

〈1〉 친구들의 작품을 평가하기

1. 1) 칭찬하고 싶은 책에 붙임 딱지를 붙여 평가해요.

2)

엠마	고려 시대의 문화를 자세히 정리했다.
오딜	여러 가지 사진과 그림으로 보기 쉽게 책을 만들었다.

2.

잘한 점	내용을 자세히 정리했다.
고칠 점	문화재 사진과 그림을 붙여 주면 좋겠다.

〈2〉 수행 평가 과정 익히기

1. 1) 수행 평가 단원, 수행 평가 내용, 수행 평가 방법, 수행 평가 시기가 있어요.
   2) ⓔ 음악 수행 평가로 리코더 연주를 했어요.
   3) 시험 범위는 어디부터 어디까지야?

2. 1) 30분이에요.
   2) 번호와 이름을 써요.
   3) 틀리거나 빠뜨린 부분이 없는지 점검해요.

〈4〉 되돌아보기

1. 점검, 제출, 태도, 검토, 토의

2. ⓔ 타이선의 수업 태도가 좋아요./타이선의 수업 태도가 좋다.
   시험을 다 보면 선생님께 시험지를 제출해요./시험을 다 보면 선생님께 시험지를 제출한다.

3. 번호와 이름을 써야 해요. 문제를 다 풀어야 해요. 친구들과 장난치면 안 돼요.

7단원 · 독서 기록장

〈1〉 이어질 내용 상상하기

옛날 어느 할아버지가
무 씨앗을 하나 심었어요.

며칠 지나 무 싹이 났어요.
무는 매일매일 쑥쑥 자랐어요.

"이젠 뽑아서 먹어도 되겠어."
할아버지는 무를 당기고 또 당겼어요.
하지만 뽑을 수 없었지요.

"도와줘요! 날 좀 도와줘요!"
할아버지는 할머니와 늙은 고양이에게
부탁했어요. 할아버지, 할머니,
늙은 고양이가 힘껏 당겼지만 무를
뽑을 수 없었어요.

2. 2) ⓔ 마을에 사는 사람들과 동물들이 모두 힘을 합쳐 결국 무를 뽑았어요. 엄청난 크기의 무를 사람들과 동물들이 다양한 요리를 만들어 나누어 먹었어요.

〈2〉 독서 기록장 쓰기

3. 2) ⓔ 개미는 부지런해요. 《돼지책》과 다르게 가족들이 자기의 일만 열심히 하고 가족들에게 소홀하여 모두 개미가 되어 버리는 내용으로 변할 것 같아요.

〈3〉 함께 해 봐요

2. ⓔ 사과 바구니/토끼는 열심히 달리기를 하다가 부엉이가 들고 오는 사과 바구니를 보았어요.

〈4〉 되돌아보기

1.

과	르	히	금	조	순	관	상
피	상	상	물	자	창	정	점
가	구	경	칠	칭	의	임	확
배	들	평	재	답	적	다	당
방	경	간	순	서	차	표	골
기	자	차	찬	재	바	간	물
해	재	구	성	점	기	꾸	정
법	요	구	찬	어	조	힘	다

2. 예 이야기의 배경을 바꾸어 이어질 내용을 상상해 보았어요./이야기의 배경을 바꾸어 이어질 내용을 상상해 보았습니다.

3. 예

제목	강아지똥
지은이	권정생
느낀 점	강아지똥이 민들레꽃을 꼭 안아 줄 때 행복한 기분이 들었다.

8단원 · 여러 가지 가지런히

〈1〉 기준을 세워 분류하기

1. 1)

	장위	준서
분류 기준	색깔	투명한가

2) 레몬즙과 빨랫비누 물은 불투명하고(투명하지 않고), 식초, 사이다, 묽은 염산은 투명해.

2. 예 날개가 있는가
그렇다: 닭, 독수리
그렇지 않다: 사자, 호랑이, 코끼리, 사슴

〈2〉 분류의 방법으로 설명하기

1. 1) 선사 시대의 유물에 대해 설명해요.
2) 구석기 시대, 신석기 시대, 청동기 시대로 나눌 수 있어요.
3)

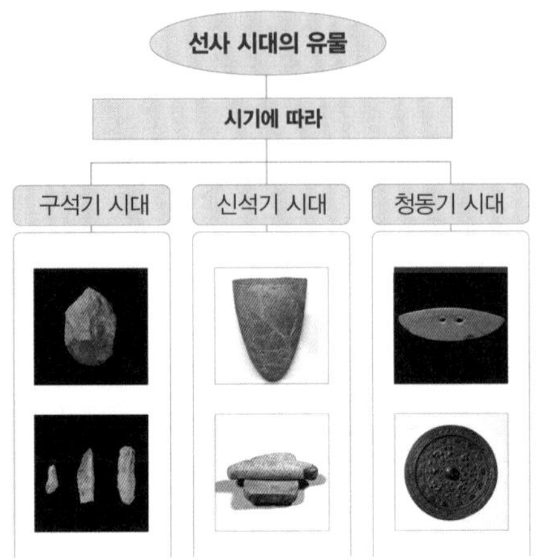

2. 예 악기는 타악기, 현악기, 관악기로 나눌 수 있다. 타악기는 두드리거나 때려서 소리를 내는 악기로 타악기에는 장구와 큰북 등이 있다. 현악기는 줄을 사용하는 악기로 현악기에는 가야금과 바이올린 등이 있다. 그리고 관악기는 입으로 불어서 소리를 내는 악기로 관악기에는 단소와 리코더 등이 있다.

〈3〉 함께 해 봐요

2. 예 • 동물은 생활하는 곳에 따라 분류할 수 있어요.
• 물속에서 생활하는 동물에는 고래, 상어, 붕어 등이 있어요.
• 산에서 생활하는 동물에는 호랑이, 다람쥐 등이 있어요.

〈4〉 되돌아보기

1.

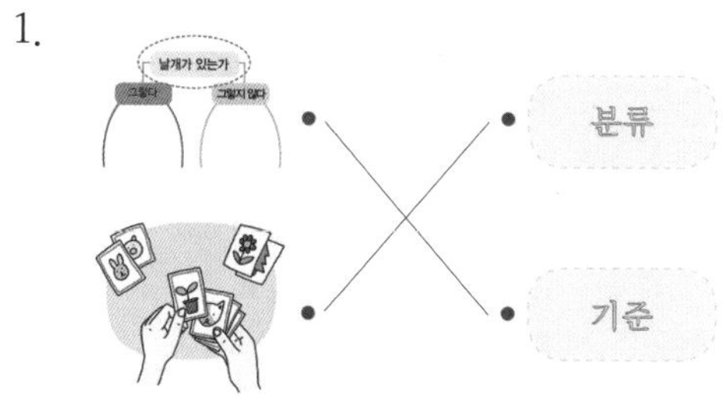

2. 1) 기준
 2) 설명

3. 예

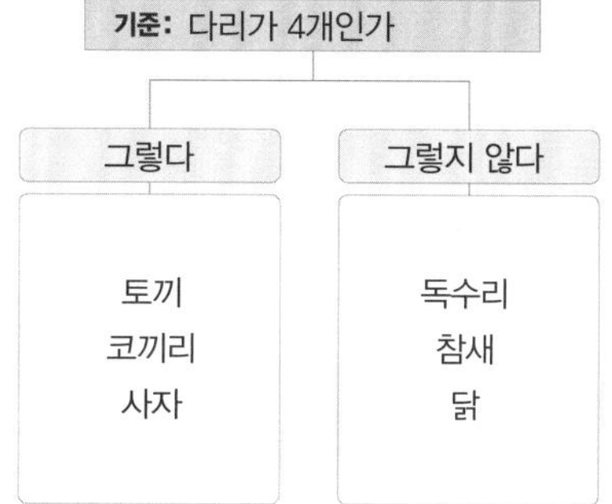

9단원 · 관찰 보고서

〈1〉 관찰한 것을 말로 표현하기

1. 1) 현미경으로 양파 표피 세포를 관찰하고 있어요.
 2) 양파 표피 세포는 벽돌 모양이 여러 개 이어져 있고, 벽돌을 쌓아 놓은 것처럼 보입니다. 벽돌 모양 안에는 동그란 점이 보입니다.

〈2〉 관찰 보고서 쓰기

2. (관찰 6일) 반달 모양/(관찰 12일) 둥근 모양(원 모양)

4. 솔방울 관찰 보고서 - 관찰 대상: 솔방울, 관찰 장소: 학교 화단
 개미 관찰 보고서 - 관찰한 사람: 엠마, 관찰한 내용: 개미가 줄을 지어 먹이를 물고 가고 있다.

〈4〉 되돌아보기

4. 예 ①번 그림에는 책상 위 필통이 바로 세워져 있지만 ②번 그림에서는 책상 위 필통이 넘어져 있습니다./①번 그림에는 책상 위 책이 그냥 놓여 있는데 ②번 그림에서는 책상 위 책이 펼쳐져 있습니다./①번 그림에는 없는 고양이 인형이 ②번 그림에는 있습니다./①번 그림과 ②번 그림의 게시판에 있는 공룡 모양이 다릅니다./①번 그림에는 정리함에 책이 있고 ②번 그림에는 영어 블록이 있습니다./①번과 ②번의 정리함 위에 있는 화분 모양이 다릅니다.

10단원 · 예상할 수 있는 일

〈1〉 짐작한 내용 쓰기

3. 첫째, 더운 지역에 사는 사람들의 옷차림을 보면 옷을 가볍게 입는다.(짧은 옷을 입는다.)
 둘째, 더운 지역에 사는 사람들의 음식을 보면 나무에서 딴 과일이나 바다나 강에서 잡은 물고기를 먹는다.
 셋째, 더운 지역에 사는 사람들의 집을 보면 더위를 피하기 위해 나뭇가지를 이용해서 짓거나 땅이나 물 위에 높이 짓는다.

〈2〉 예상한 것을 설명하기

1. 1) 붉은색, 산성
 2) 염기성, 푸른색

2. 1) 길 것 같습니다.
2) 짧을

〈4〉 되돌아보기

1. 1) 식생활, 2) 의생활, 3) 주생활, 4) 환경
5) 기후

2. 1) 참고, 2) 결과, 3) 평균, 4) 이용

3. 예 추운 기후의 지역에 사는 사람들은 어떻게 살지 예상해 보았다. 먼저 추운 지역에 사는 사람들의 옷차림을 생각해 보면 두꺼운 털옷이나 동물의 가죽을 이용해서 만든 옷을 입을 것 같다. 다음으로 추운 지역에 사는 사람들의 음식을 생각해 보면 추운 지역에 사는 동물의 고기를 먹을 것 같다. 끝으로 추운 지역에 사는 사람들의 집을 생각해 보면 얼음으로 지은 집에 살 것 같다.

11단원 · 요약과 기록

〈1〉 내용을 요약하여 설명하기

2. • 뗏의 시기: 음력 1월 1일
• 뗏에 하는 일: 친척과 이웃을 방문해 서로 좋은 말을 나누고 아이들에게 용돈도 준다.
• 뗏에 먹는 음식: 반뗏(바나나 잎 밥)

〈2〉 중요한 내용을 찾아 기록하기

4. 예 세균과 바이러스
• 세균은 아주 작은 생물로 적당한 환경에서는 그 수를 빠르게 늘리며 퍼진다.
• 바이러스는 증식이 불가능하고 세포 속에 들어가서 세포의 성질을 바꾸어 버린다.

〈4〉 되돌아보기

1.

나	관	즐	거	인	기	록
자	료	구	내	불	접	상
세	법	조	중	가	수	단
균	바	사	보	능	행	순
감	은	이	단	세	양	님
대	부	분	러	음	력	친
용	행	복	명	스	자	신

12단원 · 여러 가지 비교 활동

〈1〉 여러 가지 크기를 비교하여 이해하기

1. 1) 천칠백십만 제곱킬로미터인 러시아가 가장 큰 나라이고, 영점사사 제곱킬로미터인 바티칸이 가장 작은 나라이다. 구백구십팔만 제곱킬로미터인 캐나다와 구백팔십삼만 제곱킬로미터인 미국은 영토의 크기가 비슷하다. 미국은 러시아보다 작지만, 바티칸보다는 크다.
2) ① 가장, ② 가장, ③ 비슷하다, ④ 보다 작지만/보다는 크다

2. 1) 작다
2) 크다
3) 가장 크다
4) 가장 작다

〈2〉 중요한 특징을 찾아 서로 비교하기

1. 1) 볼록 렌즈와 오목 렌즈를 관찰했어요.
2) 두 렌즈 모두 투명하고 딱딱해. 볼록 렌즈의 가운데 부분은 가장자리보다 두꺼워. 볼록 렌즈는 가운데가 두꺼운 반면 오목 렌즈는 가운데가 얇아. 볼록 렌즈와 오목 렌즈는 형

태가 다르네.

3) 두 렌즈 모두 투명하고 딱딱하다.

4) 볼록 렌즈는 가운데가 두꺼운 반면 오목 렌즈는 가운데가 얇다./볼록 렌즈와 오목 렌즈는 형태가 다르다.

2. 글씨가 (똑바로 보이는) 점이 같아./두 렌즈로 보이는 (글씨의 크기가) 달라.

3. 1) 두 기체의 성질을 알아보는 실험을 했어요.

2)

	산소	이산화탄소
같은 점	• 색깔이 없습니다. • 냄새가 없습니다.	
다른 점	향불을 넣으면 불꽃이 타오릅니다.	향불을 넣으면 불꽃이 꺼집니다.

〈3〉 함께 해 봐요

2. ㉠

• 문제: 우리 주변에서 모양이 같은 것을 찾아봐.

• 답: 책과 공책은 둘 다 네모 모양이야./배구공과 야구공은 모양이 같아.

〈4〉 되돌아보기

1. 정확히, 비슷하다, 형태, 반면, 특징

2. ㉠ 연두색과 초록색을 보면 비슷한 느낌이 든다.

3. 1) ㉠ 사자보다 코끼리가 커요./사자보다 독수리가 작아요./코끼리가 가장 커요./독수리가 가장 작아요.

2) ㉠ 코끼리는 발이 4개인데 독수리는 발이 2개인 점이 달라요./사자와 독수리는 고기를 먹는 점이 같아요.

13단원 · 자료 분석

〈1〉 자료를 부분으로 나누어 살펴보기

1. 1) 귀, 몸, 꼬리, 발

2)

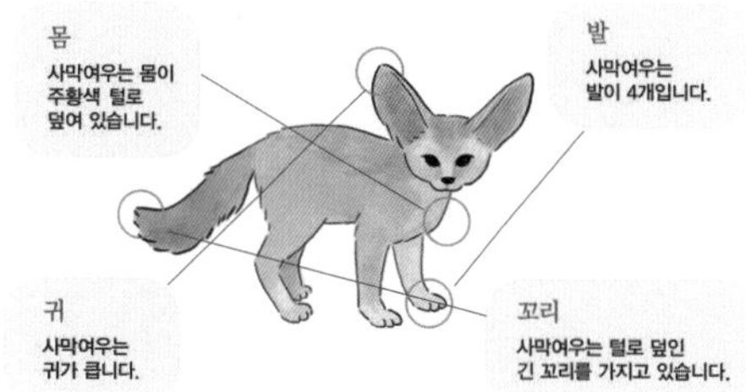

2. 1) 줄기 바깥 부분, 줄기 안쪽 부분, 잎 부분

2) 줄기 바깥 부분은 둥근 기둥 모양이고 초록색이다. 줄기 안쪽 부분은 미끄럽고 촉촉하다. 잎 부분은 뾰족한 가시로 되어 있다.

〈2〉 자료를 이용하여 글을 쓰는 방법 이해하기

1. 1) 판소리의 구성 요소를 알려 주고 싶어 해요.

2) 꼭 필요한 자료만 선택해 쓸 내용을 간추려 보자.

3) 아니리 - 말로 설명하는 부분/발림 - 소리꾼이 하는 몸짓/추임새 - 고수가 흥을 돋우기 위해 내는 소리

2. 2)

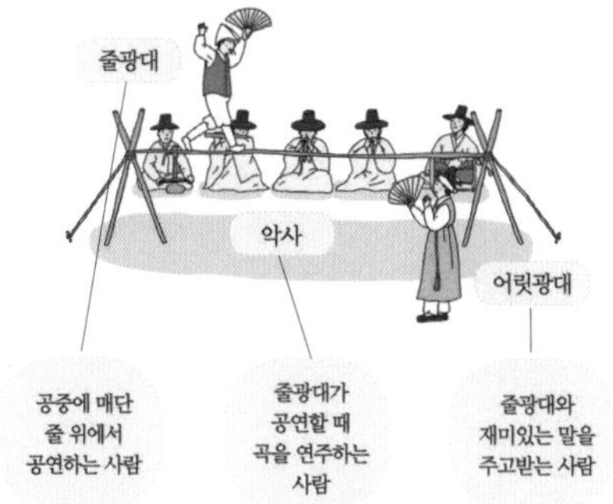

3) ㉑ 줄광대는 공중에 매단 줄 위에서 공연을 하는 역할을 맡고 있습니다. 어릿광대는 줄광대와 재미있는 말을 주고받는 역할을 합니다. 악사는 줄광대가 공연할 때 곡을 연주하는 역할을 맡고 있습니다.

〈3〉 함께 해 봐요

2. ㉑

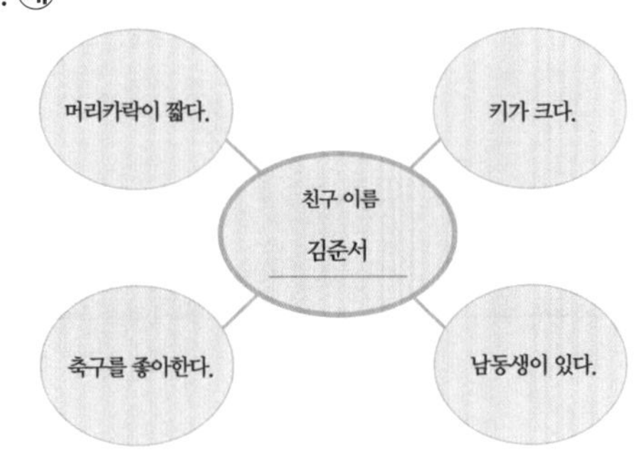

〈4〉 되돌아보기

1. 1) 구별
   2) 선택
   3) 연결
   4) 요소
   5) 간추리다

2. 1) 선택했다
   2) 연결해
   3) 간추렸다
   4) 구별되는

3. 1) ㉑ 수탉의 머리에는 붉고 톱니 모양의 볏이 있다./수탉의 부리는 뾰족하다./수탉의 꼬리는 화려하다. / 수탉의 발은 2개이다.
   2) ㉑ 수탉은 머리에 볏이 있고 뾰족한 부리가 있다. 수탉은 발이 2개이고 화려한 꼬리를 가지고 있다.

14단원 · 내 생각에는

〈1〉 수업 주제에 대한 의견 평가하기

1. 2) 적절하다, 마른 나뭇잎은 만지면 바스락 소리가 나

2.

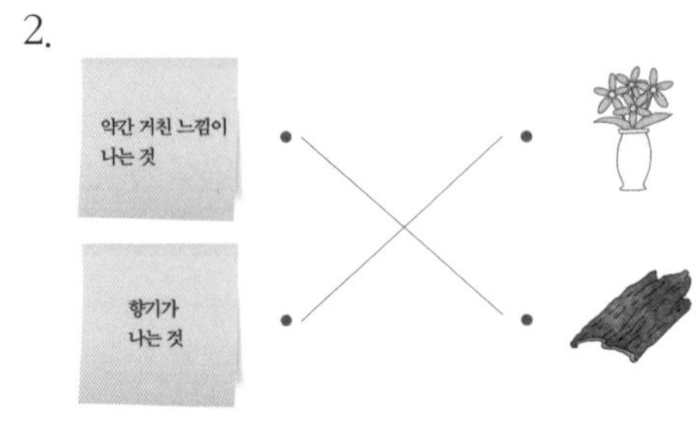

〈2〉 친구들의 의견에 대해 생각해 보기

1. 1) '아침 자습 시간에 무엇을 하면 좋을까?' 예요.
   2)

엠마	교과서를 정리하고, 책을 읽는다.
오딜	줄넘기를 한다.

2. 1) 학교에서 할 수 있는 활동인지 생각해 봐야 해. 우리 반 모든 친구가 참여할 수 있는지도 생각해 봐야 해. 꾸준히 할 수 있는지도 생각해 봐야 해.
   2) ㉑

기준 / 의견	학교 활동으로 적절한가?	우리 반 친구 모두가 참여할 수 있는가?	꾸준히 할 수 있는가?
재미있는 보드게임을 한다.	○	○	◎
교과서를 정리하고, 조용히 책을 읽는다.	◎	◎	◎
줄넘기를 한다.	◎	◎	△

3. 예

기준 의견	깨끗한 교실을 만드는 효과적인 방법인가?	우리 반 친구 모두가 참여할 수 있는가?	예 매일 교실 청소를 하는가?
각자 자기 자리를 청소한다.	○	◎	◎
번갈아 가며 청소를 한다.	◎	◎	◎
하고 싶은 사람이 청소를 한다.	○	△	△

〈3〉 함께 해 봐요

2. 예 공은 둥근 모양이니까 보물로 적절해./교과서는 네모 모양이라 보물로 적절하지 않아./공책은 네모 모양이니까 보물로 적절해.

〈4〉 되돌아보기

1.

검	토	가	리	설	별	장
난	다	사	판	단	희	단
사	회	고	도	명	수	점
구	이	분	려	학	평	여
과	유	탕	부	하	랑	책
황	체	익	자	육	다	택
적	절	하	다	힘	상	관

2. 1) 판단은
   2) 적절한
   3) 검토가

3. 1) '급식을 어떤 순서로 먹으면 좋을까?'예요.
   2)

서영	번호 순서대로 돌아가며 먹는다.
오딜	모둠별로 돌아가며 먹는다.

   3) 예 분단별로 먹는다. 손을 먼저 씻고 온 사람이 먼저 먹는다.
   4) 예 번호 순서대로 돌아가며 먹는 것이 가장 좋다고 생각해요. 번호 순서대로 돌아가며 먹으면 질서를 지키며 모든 친구들이 먼저 먹는 기회를 얻을 수 있어요.

15단원 · 문제를 해결하려면

〈1〉 문제를 해결한 위인의 사례를 읽고 이해하기

1. 1) 가뭄과 홍수로 힘들어하는 백성들의 어려움이에요.
   2)

누구	여러 기술자들
무엇	비의 양을 재는 기구

2. 예 가뭄과 홍수로 힘들어하는 백성들의 문제를 해결하고자 세종대왕은 각 마을에 비의 양을 재어 보고하라고 했다. 하지만 비의 양은 정확히 재기가 어려웠다. 이에 세종대왕은 여러 기술자들을 모아 비의 양을 재는 기구를 만들도록 하여 측우기를 만들었다. 측우기의 발명으로 가뭄과 홍수에 대비할 수 있게 되어 백성들의 어려움이 줄어들었다.

〈2〉 주장을 펼치는 글 써 보기

1. 1) 준서가 오딜에게 거친 말을 사용했기 때문이에요.
   3) 글을 써서 알림판에 붙이는 것이에요.

2. 1) 요즘 친구들 사이에서 거친 말을 사용하는 일이 많기 때문이에요.
   2) 친구에게 고운 말을 씁시다.
   3) 존중하는 마음, 편안한 분위기

3. 예 바다에 떠다니는 일회용품 쓰레기가 동

물들을 병들게 하고 있다. 동물 보호를 위해서 일회용품 사용을 줄여야 한다. 왜냐하면 일회용품 사용을 줄이면 일회용품 쓰레기도 줄일 수 있기 때문이다. 일회용품 쓰레기가 줄어야 바다가 깨끗해지고 동물들도 병들지 않는다.

〈3〉 함께 해 봐요

2. ㉠ 일회용품 사용을 줄여야 해./분리수거를 해야 해. 왜냐하면 재활용을 해서 쓰레기의 양이 적어져 환경 오염이 줄어들 수 있기 때문이다.

〈4〉 되돌아보기

1. 까닭, 사례, 어렵다, 원인, 효과적

2. 1) 까닭
   2) 어렵다
   3) 효과적
   4) 사례

3. ㉠ 요즘 스마트폰을 오래 해서 눈이 나빠지는 친구가 많아지고 있습니다. 눈이 나빠지지 않도록 스마트폰을 하는 시간을 정해 놓고 사용합시다. 시간을 정해 놓고 스마트폰을 사용하면 사용하지 않는 동안 눈이 쉴 수 있는 시간이 생겨 눈이 나빠지지 않을 것입니다.

16단원 · 미래 사회

〈1〉 미래 사회에 대해 상상하고 발표하기

2. ㉠ 미래에는 이동 기계 속에 들어가서 자신이 가고 싶은 곳을 이동 기계에 말만 하면 그 기계가 알아서 하늘을 날아가든, 땅속으로 가든 기계 스스로 알아서 선택해서 가고 싶은 곳으로 갈 수 있게 해 줄 것이다.

미래 사회 사람들의 집과 음식에 대해 상상해 보았다. 미래 사람들은 음식을 상상으로 먹을 수 있게 될 것이다. 가상 현실에서 여러 가지 먹는 즐거움을 느끼기 때문에 많이 먹어도 살이 찌지 않을 것이다. 미래 사람들은 어디든 쉽게 이사할 수 있는 집에 살 것이다. 집 자체가 이동할 수 있기 때문에 어디든 자신이 살고 싶은 곳에 집을 통째로 옮길 수 있게 될 것이다.

〈2〉 상상한 것을 글로 써 보기

2. ㉠ 세계 여러 나라를 여행할 것이다./아이들에게 더 따뜻하게 말해 줄 것이다./갖고 싶은 것을 모두 살 것이다./텔레비전을 마음대로 볼 것이다.

3. ㉠ 내가 어른이 된다면 세계 여러 나라를 여행하는 여행가가 될 것이다. 세계 각국을 여행하면서 세계 여러 나라의 친구들을 사귈 것이다. 세계적으로 유명한 곳과 유명하지 않은 곳 어디든 갈 것이다. 거기서 한 경험을 바탕으로 글을 써서 내가 만든 웹 사이트에 올릴 것이다.

〈4〉 되돌아보기

1. ㉠ 역할 – 나는 모둠에서 도우미 역할을 맡았어./나는 모둠에서 도우미 역할을 맡았다.
   자료 – 공부할 자료를 모았어./공부할 자료를 모았다.
   참여 – 학급 회의 시간에 열심히 참여했어./

학급 회의 시간에 열심히 참여했다.
연구 - 화성에 대한 연구를 했어./화성에 대한 연구를 했다.
정하다 - 이번에는 짝을 뽑기로 정해./이번에는 짝을 뽑기로 정한다.

어휘 색인

담당 연구원 ──

정혜선 국립국어원 학예연구사
박지수 국립국어원 연구원

집필진 ──

책임 집필
이병규 서울교육대학교 국어교육과 교수

공동 집필
박지순 연세대학교 글로벌인재학부 교수
손희연 서울교육대학교 국어교육과 교수
안찬원 서울창도초등학교 교사
오경숙 서강대학교 전인교육원 교수
이효정 국민대학교 교양대학 교수
김세현 서울명신초등학교 교사
김정은 서울가원초등학교 교사
박유현 연세대학교 언어연구교육원 한국어학당 강사
박창균 대구교육대학교 국어교육과 교수
박혜연 서울교대부설초등학교 교사
박효훈 서울원명초등학교 교사
신윤정 서울도림초등학교 교사
이은경 세종사이버대학교 한국어학과 교수
이현진 서울천일초등학교 교사
최근애 서울사근초등학교 교사
강수연 서울선곡초등학교 다문화언어 교원

초등학생을 위한
표준 한국어
학습 도구 5~6학년

ⓒ 국립국어원 기획 | 이병규 외 집필

초판 1쇄 인쇄 | 2019년 2월 25일
초판 2쇄 발행 | 2021년 12월 24일

기획 | 국립국어원
지은이 | 이병규 외
발행인 | 정은영
책임 편집 | 한미경
디자인 | 디자인붐
일러스트 | 우민혜, 민효인, 김채원
사진 제공 | 셔터스톡, 시공주니어, 웅진주니어, 문화재청 국가문화유산포털, 국립중앙박물관

펴낸곳 | 마리북스
출판 등록 | 제2019-000292호
주소 | (04037) 서울시 마포구 양화로 59 화승리버스텔 503호
홈페이지 | maribooks.com e메일 | mari@maribooks.com
전화 | 02)336-0729, 0530 팩스 | 070)7610-2870
인쇄 | (주)금명문화

ISBN 978-89-94011-99-8 (64710)
978-89-94011-96-7 (64710) set

8단원 끼리끼리 모아요

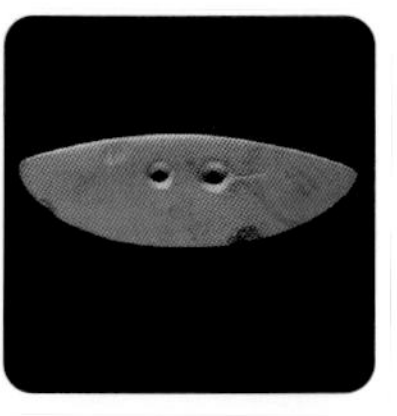

4단원 나란히 놓고 보면

다리가 여러 개다.

바다에 산다.

유연하다

다리가 8개다.

다리가 10개다.

몸통이 길쭉하다.

몸통이 동그랗다.

5단원 어려운 문제일수록

구하려고 하는 것은 무엇인가요?

바르게 구했는지 확인해 보세요.

7단원 독서 기록장

며칠 지나 무 싹이 났어요.
무는 매일매일
쑥쑥 자랐어요.

옛날 어느 할아버지가
무 씨앗을 하나 심었어요.

“이젠 뽑아서 먹어도 되겠어.”
할아버지는 무를 당기고
또 당겼어요.
하지만 뽑을 수 없었지요.

“도와줘요! 날 좀 도와줘요!”
할아버지는 할머니와 늙은 고양이에게
부탁했어요. 할아버지, 할머니, 늙은 고양이가
힘껏 당겼지만 무를 뽑을 수 없었어요.